Histoires d'amours
ROYALES

DU MÊME AUTEUR

La France des Romanov, Éditions Perrin, 2010.

Votre mariage royal : conseils pratiques et princiers pour une cérémonie réussie, en collaboration avec la princesse B. de Bourbon Sicile, Éditions Le Pré aux Clercs, 2006.

Les Châteaux de la Loire : la vallée des reines, en collaboration avec F. Collombet, Éditions Huitième jour, 2005.

Les Amours particulières, en collaboration avec H.-J. Servat, Éditions Le Pré aux Clercs, 2005.

Les Nouvelles Amours particulières, en collaboration avec H.-J. Servat, Éditions Le Pré aux Clercs, 2004.

Jet-Set : la vraie, Éditions Le Félin, 2004.

Reines dans la tourmente, Éditions Le Pré aux Clercs, 2004.

Vacances royales, Éditions Assouline, 2003.

Isabelle, comtesse de Paris : l'album de ma vie, en collaboration avec la comtesse de Paris, Éditions Perrin, 2002.

Amours royales : quand la passion est plus forte que la raison d'État, Éditions Le Pré aux Clercs, 2002.

Légendes royales : dans l'intimité des cours royales d'Europe, Éditions Le Pré aux Clercs, 2000.

Princesses de légendes, en collaboration avec H.-J. Servat, Albin Michel, 1998.

Nicolas II et sa famille : l'album du souvenir, en collaboration avec D. Paoli, Éditions Flammarion, 1992.

Cyrille Boulay

Histoires d'amours
ROYALES

DEUX SIÈCLES DE ROMANCE

HORS }{ COLLECTION

ISBN : 978-2-258-09078-1
N° d'éditeur : 1177

Retrouvez-nous sur Internet : www.horscollection.com

Mes sincères remerciements pour leur aide vont à Astrid Dahlström et à Maxime Charron pour les recherches et les traductions, et plus particulièrement à Per Bjørn-Hansen pour ses connaissances concernant la famille norvégienne.

Sommaire

1798 – Désirée Clary et le général Bernadotte
Reine de Suède malgré elle 13

1846 – Lola Montez et Louis Ier, roi de Bavière
Une danseuse fait vaciller le trône des Wittelsbach .. 25

1854 – Elisabeth en Bavière et François-Jospeh Ier,
empereur d'Autriche
Pour l'amour de sa belle cousine 35

1865 – John Brown et Victoria, reine
de Grande-Bretagne
La passion secrète de l'austère souveraine 47

1880 – Catherine Dolgorouki et Alexandre II,
empereur de Russie
La belle étudiante et le tsar libérateur 63

1894 – Alix de Hesse et Nicolas II, empereur
de Russie
  Sous le faste et la tragédie 75

1900 – Sophie Chotek et François-Ferdinand,
archiduc d'Autriche
  La dame d'honneur et l'héritier des Habsbourg.... 97

1907 – Enrico Toselli et Louise, princesse de Saxe
  Les frasques d'une héritière 105

1911 – Nathalie Cheremetieff et Michel, grand-duc
de Russie
  Dans la tourmente de l'Histoire 111

1918 – Jeanne Lambrino et Carol, prince héritier
de Roumanie
  Dix jours de bonheur 127

1937 – Wallis Simpson et Édouard VIII, roi
de Grande-Bretagne
  Une Américaine fait trembler Buckingham 139

1941 – Lilian Baels et Léopold III, roi des Belges
  Dans l'ombre de la reine Astrid 155

SOMMAIRE

1944 – Yvette Labrousse et l'Aga Khan III
La reine de beauté et le dieu vivant 165

1955 – Grace Kelly et Rainier III, prince souverain
de Monaco
L'actrice et le prince charmant 175

1959 – Farah Diba et Mohammad Reza, shah d'Iran
Une jeune architecte devient impératrice d'Iran 187

1968 – Sonja Haraldsen et Harald, prince héritier
de Norvège
L'amour triomphe à la cour de Norvège 199

1971 – Marina Doria et Victor-Emmanuel, prince
de Naples
La belle championne et l'héritier du trône d'Italie 209

1976 – Silvia Sommerlath et Carl XVI Gustaf,
roi de Suède
Trois ans de secret, trente-cinq ans de bonheur 219

1993 – Rania al-Yassine et Abdallah, prince
de Jordanie
La plus jolie reine du monde 229

1999 – Mathilde d'Udekem d'Acoz et Philippe,
prince héritier de Belgique
*Une princesse de charme pour l'avenir
de la Belgique* 239

2001 – Mette-Marit Tjessem Høiby et Haakon
Magnus, prince héritier de Norvège
Amour contre raison d'État 247

2001 – Máxima Zorreguieta et Willem-Alexander,
prince héritier des Pays-Bas
Un encombrant beau-père 257

2004 – Letizia Ortiz Rocasolano et Felipe,
prince héritier d'Espagne
« S'il me manque l'amour, je ne suis rien » 267

2005 – Camilla Parker-Bowles et Charles,
prince de Galles
L'amour malgré tout 275

2011 – Catherine Middleton et William, prince
de Grande-Bretagne
Un nouvel avenir pour la cour d'Angleterre 289

2011 – Charlène Wittstock et le prince souverain
Albert II de Monaco
L'amour finit toujours par triompher 309

1798

Désirée Clary
et
le général Bernadotte

Reine de Suède malgré elle

En cet été 1793, la Terreur règne à Marseille. Il fait si chaud dans l'atmosphère agitée de la pièce que la jeune Désirée cède au sommeil. Son frère vient d'être arrêté et sa belle-sœur l'a menée chez le représentant du peuple Albitte, pour tenter de le faire libérer. Lorsque la jeune fille échappe à ses songes, l'antichambre est vide. C'est alors que le hasard offre à la petite Provençale ce qu'il a de meilleur, et le meilleur prend, ce soir-là, l'apparence d'une rencontre.

Un galant inconnu, surpris de voir Désirée seule à pareille heure, se propose de la raccompagner et, sur le chemin qui les mène à l'hôtel de la rue de Rome, il lui dévoile son identité. L'homme s'appelle Joseph Bonaparte. Désirée Clary, à qui les bontés de la providence ont toujours paru naturelles, se plaît à conclure : « Voilà comment les Clary et les Bonaparte firent connaissance. »

Maria Letizia Bonaparte accompagnée de ses quatre fils et de ses trois filles avait quitté son île natale le 10 juin 1793, contrainte à l'exil suite à la brouille de sa famille avec le chef corse Pascal Paoli. Selon la coutume corse, Joseph, l'aîné, était devenu chef de famille à la mort du père, huit ans plus tôt. Nommé commissaire des Guerres, il s'arrange pour trouver un logement et installe sa famille à Marseille dans l'hôtel Ciprières, au 11 rue Lafont. Les Bonaparte y vivent modestement et Joseph prend très vite ses habitudes dans le chaleureux foyer des Clary, d'aisés négociants marseillais. La légende veut que le père des deux futures reines ait été marchand de soieries, de savon ou de cacahuètes... En réalité, les talents commerciaux et le tempérament rigoureux de François Clary ont fait de lui un bourgeois riche et établi. Les deux filles de la maison, Désirée et Julie, reçoivent régulièrement la visite de Joseph Bonaparte, qui n'est pas insensible à leur personnalité, un rien grandie par l'assurance de deux jolies dots...

L'aînée, Julie, n'est pas très belle. Chétive et timide, elle tombe immédiatement amoureuse de Joseph, qui pourtant demande la main de Désirée. Mais le sort fait un caprice – le premier de ceux qui, nombreux, forgeront l'existence de Désirée. Napoléon, le petit frère, alors général de division en poste à Nice, songe lui aussi à s'établir. Charmé par la gaieté et la silhouette potelée de Désirée, il bouscule les plans de Joseph et annonce avec une autorité déjà affirmée qu'il a choisi la cadette. Joseph se retourne alors vers Julie, qu'il épouse le 1er août 1794.

Dès lors, la vie de Désirée est irrémédiablement liée au prodigieux destin des Bonaparte. Pendant l'hiver que Napoléon passe avec sa douce fiancée, ils forment ensemble des projets d'avenir. Mais sa carrière piétine et il doit se rendre à Paris pour en accélérer la progression. Ils se séparent au printemps et échangent une correspondance qui témoigne d'une intimité déjà bien établie.

Malgré les promesses et les serments enflammés, Désirée est inquiète. Elle sait que le jeune Bonaparte se livre sans raisonnement aux plaisirs de la vie parisienne. Sortir est un moyen de servir ses ambitions, certes, mais il le fait aussi pour se changer les idées. Sans emploi, sans argent, il traverse une crise de découragement et vit dans la misère. Seuls quelques subsides versés par son frère Joseph lui permettent de survivre. Un général sans emploi n'intéresse personne à Paris. Sa mise négligée, son accent et ses manières intriguent et ne plaisent pas. Il confie ses angoisses à Désirée mais la belle ne répond pas à ses lettres. Partie à Gênes rejoindre son frère Nicolas, elle a pris de la distance vis-à-vis de Napoléon. Avec la secrète nonchalance qui parfois la caractérise, Désirée ne se force pas à écrire et ce dernier finit par s'impatienter. Le malentendu s'installe. Napoléon se sent abandonné et implore la « silencieuse ». Désirée finit par lui répondre mais le mal est fait. L'Aigle s'est échappé. Il a rencontré la passion et s'enivre désormais des charmes expérimentés de l'élégante Joséphine, veuve du vicomte Alexandre de Beauharnais. Bafouée et humiliée, Désirée lui rend sa parole. Le problème réglé, Napoléon épouse Joséphine et reçoit une dernière lettre de sa tendre « Eugénie », pour qui la vie est devenue un supplice. Avec le temps, Désirée finit par se résigner ; elle se console et donne à son existence un doux air de revanche. Lorsqu'elle rejoint sa sœur et son beau-frère à Rome, elle y rencontre le général Léonard Duphot. Napoléon l'a envoyé à Joseph en pensant qu'il ferait un bon mari pour Désirée. Mais le prétendant choisi meurt sous les yeux de sa promise, tué par les soldats du pape, en décembre 1797. Désirée décide alors de suivre sa sœur à Paris et revoit pour la première fois son ancien fiancé. Le brillant général prépare la campagne d'Égypte et ne rappelle en rien le pâle officier qu'elle a aimé. C'est en assistant à la gloire naissante de Napoléon que Désirée, fiancée délaissée, décide de se venger.

Le 19 juin 1798, le général Bernadotte rentre de Vienne, où Napoléon avait trouvé judicieux de l'envoyer deux mois auparavant comme ambassadeur de France. Ce faisant, il se débarrassait de l'homme qu'il considérera toujours comme son principal rival, un homme courageux et talentueux.

Sa carrière d'officier a été aussi fulgurante que celle de Napoléon. Engagé dans un régiment de la marine royale en 1780, général de brigade, puis de division la même année, en 1794, il se distingue à la bataille de Fleurus. Et en 1797, il sert sous Bonaparte en Italie. Désirée rencontre le beau Jean-Baptiste par l'intermédiaire de Joseph, toujours attentif au bien-être de sa belle-sœur. Ils se marient le 17 août 1798 à Sceaux, où Bernadotte a élu domicile. Désirée confiera plus tard : « Bernadotte, c'était autre chose que ceux que j'avais refusés, et j'ai consenti à l'épouser lorsqu'on m'a dit qu'il était homme à tenir tête à Napoléon. » Et il l'était.

Madame la maréchale

Le jeune marié est souvent absent et, lorsqu'il est à Paris, travaille avec acharnement. Bernadotte devient ministre de la Guerre en 1799. La même année, le 4 juillet, Désirée met au monde son seul et unique enfant : Oscar. Napoléon devient son parrain. La perspective d'un empire se précise et Jean-Baptiste ne veut pas participer au coup d'État du 18 brumaire que prépare Napoléon. De son côté, le Corse sait qu'il ne peut compter sur le Gascon, mais il veut être certain que l'« homme obstacle » ne se trouvera pas sur son chemin. Il confie ses craintes à Désirée qui convainc son époux de ne pas bouger. À plusieurs reprises, Bernadotte sera soupçonné de comploter contre Napoléon, mais jamais sa culpabilité ne sera prouvée. Trop intelligent pour prendre part à de grossières conspirations, il ne cache pas pour autant ses sentiments et avoue publiquement qu'il n'aurait jamais choisi Napoléon comme empereur.

Avec la proclamation de l'Empire, Désirée et Bernadotte sont couverts d'honneurs. Ce dernier est nommé maréchal de l'Empire français ; en 1804, il obtient le gouvernement de Hanovre et accumule les victoires. Entourée d'un cercle intime de parents et d'amis, Désirée mène une vie paisible dans son hôtel particulier de la rue d'Anjou. Napoléon lui témoigne une affection discrète, touchante et constante, n'oubliant pas ses sentiments passés pour sa chère Désirée.

De 1806 à 1808, Julie est reine de Naples, puis reine d'Espagne de 1808 à 1813, et Désirée, princesse de Pontecorvo. Tous ces titres bouleversent la vie des deux inséparables sœurs, ce qui ne leur convient guère. Madame la maréchale Bernadotte s'affole à l'idée de s'exiler et le prestige qui entoure sa position la laisse complètement indifférente. Seule l'idée que Napoléon ait eu envie de l'honorer lui fait apprécier la distinction.

Et pourtant la discorde entre Napoléon et Bernadotte ne cesse de croître. Napoléon déteste Bernadotte et « il trouve toujours le moyen d'en donner les preuves, jusque dans les faveurs qu'il lui accorde ». Après Wagram, le maréchal tombe en disgrâce.

Un Béarnais pour le trône de Suède

Napoléon lui offre le gouvernement général de Rome, mais Bernadotte prend un malin plaisir à le refuser. On vient de l'appeler à la succession au trône de Suède. La Suède... Désirée ne saurait même pas la situer. Elle ne tarde pas à comprendre, consternée, qu'elle devra porter une couronne et quitter Paris pour s'installer dans le Grand Nord ! Après la perte de la Finlande et de la Poméranie, le roi Gustave IV Adolphe (1778-1837) est détrôné en 1809 et sa descendance écartée au profit de son oncle Charles XIII (1748-1818) qui devient roi de Norvège en 1814. Mais, comme celui-ci n'a pas d'enfant, les États assemblés choisissent comme prince héritier Charles-Auguste d'Augustenbourg. Celui-ci, hélas, meurt d'une attaque d'apoplexie le 28 avril 1810. Il faut donc retrouver un successeur au roi Charles XIII et, le 21 août, la Diète suédoise approuve la candidature du maréchal Bernadotte. Celui-ci devient fils adoptif de Charles et prince héritier de Suède, puis de Norvège en 1814. Le prince de Pontecorvo y voit l'occasion de se libérer de l'autorité tyrannique de Napoléon, mais il ne peut accepter ce trône qu'avec le consentement de l'Empereur. Trop heureux de pouvoir enfin se débarrasser de l'« homme obstacle », satisfait de voir Désirée promise à de hautes fonctions, Napoléon lui donne sa bénédiction.

Les princes héritiers s'installent en Suède, mais Désirée pleure, se lamente et ne parvient pas à se consoler. Tout en Suède lui semble laid et froid. Pour « raison de santé », la princesse de Suède finit par quitter son pays d'adoption. Elle n'y reviendra que douze ans plus tard…

De retour à Paris avec le titre de princesse de Gotland, Désirée reprend vie. Elle reçoit ses amis. Talleyrand, Fouché lui rendent visite. Comme à son habitude, elle « met tous ses soins à maintenir la bonne intelligence entre l'Empereur et le prince royal ». Mais la tâche devient délicate. Bernadotte demande l'aide de la France pour conquérir la Norvège. Napoléon refuse catégoriquement, envahit même la Poméranie suédoise. Le prince héritier est persuadé que l'annexion norvégienne augmenterait sa popularité et consoliderait sa dynastie. Il s'entête. Désirée tente de le raisonner et le supplie de ne pas se déclarer contre les Français. Elle est persuadée que si Napoléon succombe Bernadotte pourrait encore jouer un rôle important dans son ancienne patrie. Celui-ci nourrit en effet le rêve de succéder à l'Empereur mais, engagé à servir son peuple, il rejoint les forces alliées et livre bataille contre son ancien pays et ses anciens compagnons d'armes. Les alliés entrent dans Paris. Napoléon chute et Désirée, impuissante, assiste au déclin du Premier Empire français.

Avec la Restauration, Julie est contrainte à l'exil. La séparation est douloureuse mais Désirée ne se résigne toujours pas à rejoindre son royaume. C'est un jour de 1818 que la terrible nouvelle tombe. La princesse de Gotland est assise à son piano lorsqu'on vient lui annoncer que le roi Charles XIII est mort et que son mari lui succède au trône de Suède sous le nom de Charles XIV Jean. Loin de se laisser convaincre de la nécessité d'un retour immédiat, Désirée s'acharne à rester en France et semble soudainement perdre la raison.

Désirée rentre en Suède

Il faut dire que la reine de Suède est tombée follement amoureuse du ministre des Affaires étrangères de Louis XVIII, le vieux duc de Richelieu. Masquée par un voile noir, la souveraine traque le ministre, qui ne sait plus comment lui échapper. La mort délivrera Richelieu des assiduités de Désirée. La petite Marseillaise vieillit. Étouffée par la solitude, survivante isolée d'un Empire englouti, Désirée se résigne à partir. Le mariage de son fils, qu'elle n'a pas vu depuis plus de dix ans, avec la petite-fille de Joséphine de Beauharnais précipite son départ. C'est un matin de juin 1823 que la reine Désirée arrive enfin à Stockholm. Elle a toujours du mal à s'habituer aux rigueurs de ce pays « qui a deux hivers : un blanc et un vert », mais elle sait désormais que sa vie est ici, près de son mari et de son fils dont le destin est lié à la Suède. Elle qui n'aime que l'intimité et la simplicité d'une vie de famille tranquille doit se plier au décorum et au faste de la cour.

Sacrée reine de Suède le 21 août 1829, elle voit successivement mourir son époux en 1844, son fils, le roi Oscar Ier, en 1859, et assiste au couronnement de Charles XV, son petit-fils, troisième souverain de la dynastie des Bernadotte. Désirée meurt à quatre-vingt-trois ans, le 17 décembre 1860. Enterrée loin de sa chère Méditerranée natale, Eugénie-Désirée Clary s'évanouit dans le pâle hiver suédois, étape finale de son extraordinaire destinée.

1846

Lola Montez
et
Louis Ier, roi de Bavière

Une danseuse fait vaciller le trône
des Wittelsbach

« Cette femme a le mauvais œil. Elle cause la ruine de tous ceux qui l'approchent ne fût-ce qu'un instant ! », s'exclame Alexandre Dumas après le décès de Léon Dujarrier. Le rédacteur en chef du journal *La Presse,* l'amant passionné de Mlle Montez, vient de se battre en duel pour les yeux noirs de la belle danseuse. Partout où Lola passe, le scandale éclate. De Calcutta à Londres, de Paris à Saint-Pétersbourg, la jeune femme sème cœurs meurtris, coups de pistolets, sifflements et émeutes pour finalement déclencher, comme une apothéose à sa carrière, une révolution en Bavière et l'abdication du roi Louis Ier. Maria Dolores Eliza Gilbert naît en Irlande en 1821. Son père, officier, a épousé une jeune femme castillane d'origine créole, ce qui constitue le seul lien que Lola puisse avoir avec l'Espagne bien qu'elle ait fondé toute sa réputation sur ses charmes méditerranéens et sa dextérité à jouer des castagnettes… Dolores se marie à seize ans avec un obscur lieutenant anglais du nom de Thomas James et s'enfuit avec lui aux Indes. Lassé de son épouse, James l'abandonne cinq ans plus tard pour la femme d'un de ses camarades.

Dolores reprend la mer et se console, pendant la traversée, dans les bras de Charles Lennox qui lui promet une place de danseuse au théâtre de Sa Majesté à Londres. Pour les besoins du rôle, elle devient « Lola Montez » et acquiert l'identité qui la rendra célèbre.

Ses premiers pas à Covent Garden sont assez médiocres. Elle est reconnue par lord Ranelagh, qui a partagé son oisiveté à Calcutta, mais l'Angleterre puritaine siffle la danseuse divorcée dont les déhanchements glacent le sang. Rejetée par le public, Lola reprend la route, erre un temps à Bruxelles, chante dans les rues et se retrouve finalement à Varsovie. Le prince Paskevitch, vice-roi de Pologne d'une laideur criante, s'éprend de la danseuse. En échange de faveurs inavouables, Paskevitch offre des diamants. Lola les refuse et s'enfuit pour Saint-Pétersbourg, Berlin, puis Dresde où elle défigure à coups de cravache un gendarme qui barre son chemin. À Vienne, elle tombe follement amoureuse du beau Franz Liszt. Lassé des conversations intellectuelles et des minauderies romantiques, le musicien s'enthousiasme pour « sa vivacité incroyable, son audace presque masculine et sa nature si franchement et magnifiquement animale ». Il l'introduit dans l'entourage de George Sand, l'un des cercles les plus sophistiqués et avancés dans la société européenne. Les amoureux se quittent quand même et Lola Montez arrive en France au printemps 1844. L'affaire du gendarme prussien cravaché a fait bonne impression dans le Paris du roi Louis-Philippe. La belle Andalouse est entourée de Victor Hugo, Alfred de Musset ou Balzac. Gustave Claudin se souvient qu'« elle était charmeuse. Il y avait dans sa personne un je-ne-sais-quoi de provocant et de voluptueux qui attirait. Elle avait la peau blanche, des cheveux ondoyants comme des pousses de chèvrefeuille, des yeux indomptés et sauvages et une bouche qu'on aurait pu comparer alors à une grenade en bouton. » Sa « taille lancinante » fait tourner les têtes et Alexandre Dumas fils s'entiche de Lola au point de lui obtenir une place à l'Opéra.

Le 30 mars 1844, la « reine de la cachucha » fait ses débuts sur la scène parisienne. Dans un tourbillon endiablé de jupons et de boucles brunes, Lola fait tinter ses castagnettes et se tortille comme une fille des faubourgs de Séville. Le public parisien remarque assez vite que les pieds de Lola sont « plus beaux que ses pas » et le concert de sifflements commence. Folle furieuse, la danseuse se déchausse et balance ses chaussons sur les spectateurs de l'orchestre. C'est sous les rires et les protestations que Mlle Montez disparaît derrière le rideau tombé en urgence. À jamais chassée de l'Opéra, Lola se console dans les bras de Léon Dujarrier, bientôt tué d'un coup de pistolet par M. de Beauvallon.

Après avoir balayé de ses jupons l'Europe entière, elle arrive à Munich en 1846 avec le frêle espoir de rencontrer enfin la chance. La mort de son jeune amant à Paris lui a permis de toucher un héritage et de disparaître pour enfin « tenter de décrocher un prince ». Mieux qu'un prince, la Bavière lui offrira son roi. Pour Goethe, Louis Ier est « un jour de printemps insouciant et lumineux ». C'est un souverain épris d'esthétisme pour qui seule la beauté compte. Après sa première rencontre avec l'éblouissante Lola, le souverain confiera à l'un de ses ministres : « Je ne sais pas ce que j'ai, je suis ensorcelé. » La fatale Andalouse a enfin rencontré l'homme qui, en hommage à son incomparable beauté, déposera à ses pieds couronne et dignité.

Loin d'être découragée par ses échecs successifs, Lola Montez postule pour un engagement au Théâtre royal de la ville. La danseuse est refusée parce qu'elle n'a pas de formation classique. Le prétexte lui paraît si absurde qu'elle décide de s'en ouvrir au roi et de solliciter une audience. Louis Ier refuse d'abord de recevoir la cabotine. On lui murmure que celle-ci mérite au moins d'être vue et le souverain accepte finalement de la rencontrer. Magnifiquement parée, Lola attend dans l'antichambre royale bien décidée à jouer la plus belle scène de sa carrière de courtisane.

Introduite par un valet dans la salle d'audience, la solliciteuse exécute une révérence plongeante. Le silence de l'instant donne au froissement de ses jupes la sensualité recherchée. Lorsqu'elle relève son visage, Lola entoure le roi du plus doux des regards.

Louis est subjugué. Il n'a connu que la laideur extrême de feu la reine et découvre, à soixante ans, la fraîcheur et la perfection d'un visage enchanteur. Il obtient pour Lola une place dans le corps de ballet mais ne peut malheureusement pas commander les applaudissements de la salle. Une fois de plus, Lola est sifflée. Sa réputation orageuse a précédé la danseuse. Les Bavarois ne tolèrent pas la présence sur scène de l'ambassadrice tentante et colorée de mœurs en tout point condamnables. Lola se précipite dans les bras du souverain et pleure sur la cruauté dont elle est l'objet.

Le roi décide alors de garder pour lui talents et beauté de l'incomprise. Il charge son architecte de construire un palais dans la Barerstrasse et surveille lui-même les travaux. La demeure est celle d'une souveraine. Le roi lui rend visite chaque jour. La belle danse pour son bienfaiteur ; il compose des poèmes à la gloire de son égérie. Louis Ier décide alors d'anoblir sa muse. L'inspiratrice devient comtesse de Landsfeld et baronne Rosenthal, le 25 août 1847.

On tente de monnayer le départ de la *señora* qui, choquée, refuse de se laisser acheter. Pendant que le roi s'émeut de l'intégrité de la belle, le mécontentement des Bavarois s'amplifie et trouve écho dans la presse. Occupé un matin dans son cabinet de travail, le roi voit arriver une tornade enrobée de plumes et de soie, un journal à la main. À la une, la caricature de la favorite en costume espagnol, jupes relevées avec, à ses pieds, le souverain travesti en âne. La belle est offusquée et demande réparation au souverain. Charles d'Abel, alors ministre, proteste contre l'influence néfaste de Mlle Montez qui menace « la gloire, le pouvoir, la dignité et le bonheur d'un roi bien-aimé ». Il est révoqué et remplacé par un successeur libéral.

Lola s'est mis en tête de « libéraliser » la Bavière. Par un décret du 15 décembre 1846, l'enseignement est rendu aux laïcs, l'Université est réformée et la censure des livres supprimée. Les étudiants descendent dans la rue et se regroupent sous le balcon de Lola. La reine de Munich ouvre alors la fenêtre et apparaît, somptueuse et provocante, versant sur leurs têtes du champagne frappé et du chocolat chaud.

Pendant deux ans, les émeutes se succèdent en Bavière sans que le roi agisse. Le 11 février 1848, le palais est assailli, et le souverain manque d'être lapidé par des révolutionnaires. Filleul de Louis XVI et de Marie-Antoinette, Louis Ier prend peur, se résigne et signe, dans la douleur, l'ordre d'expulsion de la comtesse.

Lola fuit en Suisse. Sa maison est livrée au pillage. On efface en Bavière toute trace du passage de la folle Andalouse. Six semaines plus tard, le 20 mars, Louis Ier est contraint d'abdiquer en faveur de son fils Maximilien II et s'exile à Rome.

Partie avec perles, rubis et gardes du corps, Lola Montez rejoint l'Angleterre, puis l'Amérique où le cirque Barnum accueille un temps ses talents. Après un passage en Australie, au milieu des années 1850, elle tombe folle amoureuse d'un tueur de fauves du nom de Paul Hull et met en scène au Théâtre royal de Melbourne sa célèbre danse érotique de l'araignée. Le scandale une fois encore éclate. Son mari meurt au même moment dans un accident, contraignant Lola à quitter précipitamment l'Australie pour l'Europe. Londres retrouve alors une Lola Montez transformée par la foi, qui prêche avec conviction sur les pelouses de Hyde Park. La chanoinesse de l'ordre de Sainte-Thérèse meurt le 17 janvier 1861, à l'âge de quarante-trois ans, à New York. À l'annonce de son décès, le roi déchu évoque avec tendresse le souvenir intact de cet amour purement platonique. En romantique idéaliste, Louis Ier de Bavière tirait de la seule contemplation de la beauté des instants d'extase si intenses que jamais il n'éprouva le regret de leur avoir sacrifié sa couronne. Il mourut à Nice en 1868.

1854

Elisabeth en Bavière
et
François-Jospeh Ier, empereur d'Autriche

Pour l'amour de sa belle cousine

La jeune fille gaie et angélique qu'était la princesse Sophie de Bavière en quittant Munich pour Vienne se mue rapidement en une mère ambitieuse lorsqu'elle comprend que la dynastie des Habsbourg, déjà deux fois chassée de la capitale, est en péril. Comme la monarchie a eu à pâtir des piètres facultés intellectuelles de l'empereur Ferdinand, Sophie décide de forcer le sort : son successeur ne sera pas son époux, l'archiduc François-Charles, un être faible au caractère falot, mais son fils, François-Joseph, jeune homme de dix-huit ans qu'elle a façonné pour le pouvoir. En appliquant la devise du pays : « Laisse les autres faire la guerre, toi, heureuse Autriche, marie-toi », cette femme énergique a maintenant une autre ambition pour François-Joseph, devenu empereur le 2 décembre 1848 : celle de réussir son mariage.

À cette occasion, François-Joseph désobéit pour la première fois à sa mère, préférant Elisabeth à sa sœur aînée, Hélène. Le couple semble annoncer un nouvel âge d'or. Il est un modèle achevé d'élégance, de charme romanesque et de séduction. Elisabeth, fille de la princesse Ludovica – sœur de l'archiduchesse Sophie – et de Maximilien, duc en Bavière, est en outre née sous d'heureux auspices : le soir de Noël 1837, avec une dent, comme Napoléon. Sissi, ainsi que la surnomme sa famille, est une jeune fille simple, les cheveux coiffés en bandeaux, le teint frais, radieuse dans sa petite robe noire, et quand François-Joseph vient rencontrer sa promise, il tombe immédiatement sous le charme de sa jeune sœur. En apprenant la demande en mariage, Sissi laisse échapper, stupéfaite : « Bien sûr que je l'aime, comment ne l'aimerais-je pas ? » Puis elle éclate en sanglots : « Si seulement il n'était pas empereur ! » Ce dernier, dès qu'il apprend le consentement d'Elisabeth, se précipite chez elle, rayonnant de bonheur. La jeune fille se montre à la porte et François-Joseph l'étreint...

À la cour des Habsbourg

C'est donc par amour que, le 24 avril 1854, l'empereur François-Joseph épouse sa cousine germaine, qui n'a que seize ans. Vêtue d'une robe rose et argent brodée de fleurs, une couronne de diamants posée sur ses cheveux tressés, elle traverse Vienne dans un carrosse vitré aux panneaux peints jadis par Rubens et aux roues incrustées d'or. La foule est en délire ; chacun essaye de voir la fiancée de plus près, de lui voler un sourire. Sur le seuil du palais impérial de Schönbrunn, François-Joseph l'attend, entouré de toute sa famille et des nombreux archiducs et archiduchesses d'Autriche.

En descendant de son carrosse, Elisabeth manque de faire tomber sa tiare en diamants qui s'accroche au cadre de la portière. L'empereur blêmit. Serait-ce un mauvais présage ? Mais avec adresse, la future mariée ajuste sa couronne et pénètre dans le palais sous les acclamations : « Vive l'impératrice ! »

Dès le lendemain pourtant, le carcan de la vie de cour commence à enserrer la jeune impératrice qui doit prendre exemple sur le modèle familial impérial. C'est l'étiquette introduite à Vienne par Charles Quint qui régit encore l'austère vie du palais impérial, et notamment celle d'Elisabeth. Un emploi du temps rigide, fixé heure par heure, prive la jeune mariée de toute liberté, et sa despotique belle-mère, l'archiduchesse Sophie, lui rend la vie dure. Elle doit prendre son petit-déjeuner avec sa belle-famille, ne plus boire de bière à table, porter chaque jour une paire de souliers neufs, ne plus parler avec les palefreniers et mettre des gants en permanence. Elle tente vainement de se confier à François-Joseph, mais son mari, écrasé par sa charge, a trop de soucis, trop de travail. Incomprise, Elisabeth s'isole dans la souffrance.

Elle n'aime pas paraître, être épiée et, dès le jour de son mariage, voir défiler des milliers d'inconnus dans ses appartements. Élevée sans entraves et au grand air, Sissi rejette les milliers de contraintes qui régissent la vie à la cour, depuis la tenue jusqu'à la qualité de la vaisselle, en passant par les révérences, les saluts, la longueur des gants ou la profondeur de son décolleté.

Mais la situation empire lorsqu'Elisabeth annonce qu'elle est enceinte : l'archiduchesse Sophie fait irruption dans sa chambre à toute heure du jour et accable la future mère de reproches. Sissi n'a même plus le droit de jouer avec ses perroquets car le bébé pourrait finir par leur ressembler ! La cour, bien sûr, espère un héritier et la déception est grande lorsque, le 5 mars 1855, naît une fille. On lui donne le prénom de Sophie sans consulter sa mère et on installe l'enfant dans les appartements de sa grand-mère. La situation se répète et se durcit même à la naissance de sa deuxième fille, Gisèle, née le 12 juillet 1856 : Sissi ne peut voir ses enfants qu'à heures fixes. Finalement, grâce à l'intervention de son époux, les bébés sont rapprochés de ses appartements. Mais déjà, le destin frappe la belle impératrice : sa fille Sophie, âgée de seulement deux ans, agonise de longues heures avant de mourir sous ses yeux. À dix-neuf ans, Elisabeth fait l'apprentissage du malheur.

Heureusement, Sissi est de nouveau enceinte et semble plus sereine. Le 21 août 1858, elle met au monde

Rodolphe, l'héritier tant attendu. Un délire de joie s'empare de Vienne, François-Joseph pleure de bonheur, l'archiduchesse exulte et couvre sa belle-fille de cadeaux. Pourtant, la confrontation entre les deux femmes reprend de plus belle. Très affaiblie, Sissi se remet lentement de son accouchement et Sophie en profite pour obtenir le droit de surveiller l'éducation de Rodolphe. Incapable de toute réaction, l'impératrice y consent. François-Joseph est parti sur le front italien batailler contre les troupes françaises de Napoléon III pour la plaine du Pô et, malgré les lettres pleines d'amour qu'il lui envoie régulièrement, elle est folle d'inquiétude. Elle se nourrit peu, se dispute quotidiennement avec sa belle-mère et fuit la réalité en faisant de longues marches ou des promenades à cheval. Passion héritée de son enfance et transmise par son père Maximilien, l'équitation est pour Sissi un remède à sa solitude et à ses tourments, lui donnant l'illusion de la liberté. Mais à son retour, l'empereur retrouve une femme amaigrie et nerveuse.

Sissi séduit la Hongrie

Mère frustrée, à qui ses enfants furent retirés dès leur naissance, et lassée de tout, Elisabeth prend en 1860 une décision : elle veut partir, partir loin, le plus loin possible. Elle revendique la liberté perdue de son enfance. Au fond de son désespoir, elle trouve une île au milieu de l'océan, où le printemps semble éternel : Madère. Elle part pour un séjour de quatre mois, première étape d'une course incessante – de Corfou à l'Angleterre en passant par la France : celle de la recherche désespérée du bonheur. Elle revient pourtant périodiquement à Vienne pour faire face à ses obligations et rendre à son époux et à ses enfants l'amour qu'ils lui portent. Chaque fois, sa présence illumine le sévère décorum des Habsbourg. Mais, rapidement, elle se sent prisonnière et repart de nouveau, ne passant qu'une soixantaine de jours par an à Vienne. Il semble qu'elle ne peut aimer François-Joseph que de loin, puisque tout les oppose : il est prosaïque, elle ressent la poésie des choses et des lieux ; il se flatte de ne jamais avoir ouvert un livre, elle chérit Heine et Shakespeare ; il est borné, elle est curieuse de tout, apprend le hongrois et le grec ; il ne prise que les parades militaires et la chasse, elle écrit des vers élégiaques qui traduisent son mal de vivre. Un seul pays réussit à l'attacher : la Hongrie. Si, lors de la première visite officielle dans le pays, en 1857, le couple impérial est accueilli froidement, Sissi, qui parle parfaitement le hongrois et apprécie cette culture, se fait rapidement aimer de ce peuple dont elle défend la cause. C'est elle qui tient tête à son mari, le priant de nommer le comte Gyula Andrássy ministre des Affaires étrangères pour apaiser les tensions, elle encore qui effacera du cœur des Hongrois la haine de l'Autriche. Le 8 juin 1867, François-Joseph reçoit la couronne de Hongrie. Les Hongrois, qui manifestent une immense gratitude à Elisabeth, souhaitent qu'elle soit également couronnée reine, comme si le pays se donnait un roi par nécessité politique, mais choisissait une reine par amour. Pour preuve de son attachement, la Hongrie lui offre le magnifique palais de Gödöllö, à une trentaine de kilomètres de Budapest. Sa vie durant, Sissi portera un immense intérêt à ce pays, au point de choisir ses dames d'honneur dans la noblesse hongroise et de faire naître sa dernière fille, Marie-Valérie, le 22 avril 1868, à Budapest.

Constamment en voyage, Elisabeth fait parvenir des cadeaux à ses enfants, auxquels elle apparaît sublimée à chacun de ses courts passages. L'existence de Gisèle et de Marie-Valérie est bien plus douce que celle de Rodolphe, abandonné à l'éducation de précepteurs sévères et à la rigueur militaire. Son père, désireux de lui transmettre le sens du devoir et du travail, lui inculque les principes rigides qui lui furent imposés dans sa propre enfance. Si Elisabeth suit l'éducation de Rodolphe de loin et qu'elle n'est d'ailleurs pas en position d'intervenir sur ce sujet, elle n'en est pas moins choquée lorsqu'elle apprend que l'un de ses précepteurs le « terrorise ». C'est ainsi que l'enfant de six ans est un jour laissé seul à l'intérieur du jardin zoologique ; son précepteur s'esquive rapidement et lui crie de loin : « Un sanglier ! » Épouvanté, l'enfant hurle, mais plus il crie, plus son maître continue de l'effrayer. Sissi parvient à faire renvoyer le précepteur, mais ne se rapproche guère de Rodolphe qui souffre de ne pas voir plus souvent sa mère. Ce sera pire encore à la naissance de Marie-Valérie, qui devient bientôt la préférée de Sissi, au point qu'à la cour l'enfant est surnommée « l'unique ». Rodolphe désire passionnément sa tendresse, mais ni Elisabeth ni François-Joseph ne comprennent à quel point ce manque de chaleur familiale exacerbe sa sensibilité. Et chaque jour le fossé se creuse davantage entre l'empereur et son fils, qui confiera plus tard à son cousin, l'archiduc Jean-Salvator : « Entre mon père et moi, il y a une paroi de verre. Nous nous voyons l'un l'autre, mais nous ne nous sentons pas en communion. »

Marquée par le malheur

Narcissique à l'extrême, Sissi a le souci obsessionnel de son corps et de sa forme. Elle veille continuellement à son poids, qui oscille entre 46 et 50 kilos pour 1,72 mètre, ne prenant qu'un repas par jour, composé essentiellement de jus de viande, de compotes de fruits et de laitages. Toujours passionnée d'équitation et de chasse à courre, elle monte à cheval huit heures par jour, jusqu'à ce que ses rhumatismes lui imposent de cesser ce sport. Elle s'initie alors à l'escrime, tout en continuant ses longues séances journalières de gymnastique. L'impératrice vieillissante remplace ces exercices par la marche à pied, et met dans cette nouvelle activité le même excès et la même énergie que dans ses passions précédentes.

En fait, Sissi est victime de la redoutable malédiction des Wittelsbach. Le malheur semble s'acharner sur elle et ses proches : son cousin le roi Louis II de Bavière meurt noyé, l'un de ses beaux-frères se suicide, une de ses nièces est brûlée vive pour avoir voulu cacher une cigarette interdite, son cousin Othon, frère de Louis II, complètement fou, passe sa vie enfermé. Et comme sa mère, l'archiduc héritier Rodolphe, qui a épousé sans amour la princesse Stéphanie de Belgique, se croit prédestiné au malheur. Un jour, il l'exprime à l'un de ses cousins : « J'ai un prénom qui porte malheur. Tous ceux qui dans notre famille se sont appelés Rodolphe ont mal fini. Rodolphe II a sombré dans la folie, Rodolphe III et Rodolphe IV sont morts jeunes. Quelle page tragique terminera le livre de ma vie ? » Pages qu'il s'empresse de tourner pour arriver plus vite au dénouement, le 30 janvier 1889, à Mayerling. Rodolphe avait déjà proposé à l'une de ses maîtresses un suicide à deux, mais c'est la jeune baronne Marie Vetsera, à qui l'archiduc a offert une bague où est gravée cette funeste promesse :

« Unis dans l'amour jusqu'à la mort », qui accepte de l'accompagner dans l'au-delà. Rodolphe écrit plusieurs lettres avant de se donner la mort, dont le passage de celle-ci : « Je sais très bien que je n'étais pas digne d'être son fils. »

Elisabeth, qui se refuse à admettre la mort de son fils unique, n'assiste pas aux obsèques, mais descend trois jours plus tard dans la sinistre crypte des Capucins où son corps repose. Là, devant le cercueil, elle crie par deux fois le nom de son fils. Seul le silence qui lui répond la persuade désormais de l'irréparable. L'impératrice reprend alors la fuite. Errant de pays en pays, elle marche de longues heures durant dans la campagne et la montagne, loin des villes et des hommes. Elle ne se soucie pas plus des intempéries que des terroristes et, interdisant qu'on l'escorte, elle met au désespoir ses dames d'honneur et les policiers chargés de sa sécurité.

C'est ainsi, seulement accompagnée de sa dame d'honneur, la comtesse Irma Sztaray, ce matin du samedi 10 septembre 1898, que le destin l'attend sur un quai de Genève en la personne d'un anarchiste nommé Luigi Luccheni. L'impératrice s'effondre doucement après avoir été poignardée en plein cœur. Son vœu, proféré à la mort de son fils, est exaucé : « Moi aussi je voudrais mourir d'une petite blessure au cœur par où mon âme pourrait s'échapper, mais surtout loin de ceux que j'aime. »

1865

John Brown
et
Victoria,
reine de Grande-Bretagne

La passion secrète de l'austère souveraine

Le 22 janvier 1901 : des lèvres de la reine Victoria s'échappe un dernier soupir. « Albert », murmure-t-elle. Le prénom de l'époux bien-aimé s'évanouit dans le silence de la chambre mortuaire. Victoria est partie rejoindre l'homme de sa vie. Mais elle n'est pas seule ; sur le chemin des retrouvailles, dévoué et ponctuel, le highlander John Brown accompagne la reine.

Parce qu'il doit respecter les dernières volontés et les instructions de la défunte souveraine, le docteur Reid s'enferme dans la chambre royale. Seul devant la dépouille, il la regarde une dernière fois et, en se penchant sur le cercueil, détaille ses derniers compagnons de voyage. Parmi les fleurs, des photos du prince consort et de leurs enfants, la robe de chambre, le manteau de l'époux adoré et un moulage de sa main. Mais, enroulées dans un écrin dissimulé sous les fleurs, il y a aussi des mèches de cheveux qui n'appartiennent pas au prince. Le docteur Reid se penche, ouvre la main gauche de la souveraine et la referme sur la photo d'un homme. Cet homme n'est pas Albert. Elle a voulu mourir avec lui. Le serviteur écossais de Victoria, John Brown, partage ses premiers instants d'éternité. Ils emportent, ensemble et à jamais, les secrets de leur étrange intimité. Froide et silencieuse, la ville de Londres s'endort en deuil et se retourne sur soixante-quatre années de règne.

Lorsque Victoria monte sur le trône, elle n'a que dix-huit ans ; elle adore galoper ou danser le quadrille des nuits entières, sans toutefois négliger son « travail de reine », dont elle s'acquitte avec enthousiasme. Mais parfois les journées sont longues pour la tendre jeune fille qui n'a jamais connu son père. Son oncle, le roi Léopold de Belgique, envisage de la marier, mais Victoria s'oppose à l'idée d'épouser un homme qu'elle n'aurait pas choisi et de perdre sa liberté : « Je suis si habituée à faire ce que je veux qu'il y a neuf chances sur dix pour que je ne m'entende pas avec un homme. » L'époux qu'on lui a désigné est son cousin allemand, le prince Albert de Saxe-Cobourg et Gotha. Il a grandi au château de Rosenau, au cœur d'une petite principauté de cent cinquante mille habitants. On le dit érudit et austère. Élevé dans le projet d'épouser la reine, il s'y prépare depuis toujours avec un sérieux et une rigueur exemplaires. À l'opposé de Victoria, de son tempérament fougueux et passionné, le prince allemand arrive un soir d'octobre 1839 au château de Windsor pour accomplir ce qu'il considère comme son devoir. La jeune reine le regarde s'avancer ; il est beau et cela suffit à l'envoûter : « Albert est tout à fait charmant, extrêmement beau avec de magnifiques yeux bleus, un nez parfait, une jolie bouche, une fine moustache et de très petits favoris. Il a une belle stature, les épaules larges, la taille fine. Mon cœur est pris. » En quelques minutes Victoria est amoureuse et décide de l'épouser. Le 10 février 1840, la reine de Grande-Bretagne épouse son « cher et bien-aimé fiancé » et s'offre à lui pour l'éternité. Le fiancé, de nature moins enthousiaste, écrit à sa grand-mère le matin de la cérémonie : « Dans deux heures je serai marié. Que Dieu me vienne en aide ! »

Victoria est en admiration devant son mari. Elle l'aime chaque jour de plus en plus et se laisse librement guider par son amour. Bien souvent elle agace Albert par des mouvements de colère ou d'exubérance qu'elle n'arrive pas à maîtriser. Les jeunes époux se disputent fréquemment, mais le couple royal se réconcilie vite et de la plus efficace manière. Leur vie intime est harmonieuse et active. La jeune souveraine est une épouse passionnément amoureuse. De son côté, Albert s'habitue mal au faste de la cour et se croit entouré d'ennemis. Il se sent rejeté par les Anglais et incompris par l'entourage de la reine. À force de patience et de compréhension, il parvient à imposer à la jeune Victoria les principes de convenance qui sont les siens. Seuls le travail, la discipline et une étiquette stricte peuvent préserver la couronne de ses détracteurs. L'ambiance qui règne au palais n'est pas des plus gaies. Le prince consort veille à tout et surtout à l'éducation de ses enfants.

Très vite, la souveraine devient mère. Victoria Adélaïde naît le 21 novembre 1840 et sera l'aînée des neuf enfants du couple royal. Les grossesses successives de la reine perturbent son équilibre psychique et elle navigue entre euphorie et abattement. La constance et le calme du prince Albert préservent la famille des excès de la reine et de son désintérêt pour les affaires de l'État. Sans en avoir le titre, Albert est roi. Il fait son devoir de prince avec rigueur et persévérance, souvent jusqu'à l'épuisement.

Lorsque la famille royale veut se reposer, elle trouve refuge à Balmoral, le château écossais que les époux ont choisi et acheté ensemble en octobre 1847. Une fois de plus, Albert prend les choses en main. Il orchestre les travaux, s'occupe de la décoration et gère le personnel. Lorsque lord Rosebery (Premier ministre de la reine à la fin de son règne) visite le château, il commente : « J'ai cru qu'il n'y avait rien au monde de plus laid qu'Osborne, jusqu'au jour où je suis allé à Balmoral. » Mais Victoria est émerveillée par le goût de son « ange bien-aimé ».

La famille royale part en excursion. Ils voyagent inco-gnito à travers le pays et s'enchantent des champs de bruyère et de l'immensité paisible des lochs. Albert oublie la politique et Victoria peint des paysages baignés par le brouillard. Ils sont si parfaitement heureux en Écosse qu'ils y retournent le plus souvent possible. Le peuple écossais reçoit avec simplicité et ferveur le couple royal. Victoria aime la compagnie de ces gens simples et affectueux autant qu'elle déteste les courti-sans londoniens qui ne veulent pas accepter son mari. Lorsqu'elle parle de ses « ghillies » elle évoque des ser-viteurs « qui ne posent jamais de problèmes, sont joyeux, heureux, toujours prêts à marcher, à courir, à faire tout ce qu'on leur demande ».

Un highlander pour la reine

Le prince Albert loue leur loyauté et leur franchise, et recherche souvent la compagnie de l'un d'entre eux, John Brown, entré à l'âge de seize ans comme garçon d'écurie à Balmoral. Il a maintenant vingt-trois ans et conduit le poney de la reine. L'homme apprend à cette dernière quelques notions de gaélique, lui conte les légendes écos-saises et les ragots du pays. De promenade en prome-nade, la reine et John Brown tissent les liens d'amitié indéfectibles qui les uniront pendant plus de trente ans.

Le highlander, dévoué, courageux et franc, ne se laisse pas impressionner par sa royale maîtresse. Ainsi, lors d'une balade avec la dame de compagnie de la reine, Brown rattrape Jane Churchill en pleine chute. La reine conte la scène à Vicky : « Comme elle le remerciait, il dit : "Votre Grâce est moins lourde que Sa Majesté", ce qui nous fit beaucoup rire. Je dis : "Vous pensez donc que j'ai grossi ? – Oh que oui, je le pense", répondit-il carrément. J'ai donc décidé de me peser car je m'étais toujours crue légère. » Avec l'impulsivité et l'intégrité qui la caractérisent, la reine s'attache à John Brown. Elle écrit à son oncle Léopold : « Je sors chaque jour vers midi ou midi et demi, notre lunch est servi par un extraordinaire domestique écossais qui est mon factotum et fait tout pour moi. Il est à la fois mon valet, mon écuyer, mon page et je dirais même ma femme de chambre tellement il prend soin des manteaux, des châles, etc. C'est toujours lui qui conduit mon poney, qui s'occupe de moi dehors. Je crois que je n'ai jamais eu un domestique aussi serviable, fidèle et attentionné. C'est un vrai chagrin de le laisser derrière moi. »

La reine quitte Balmoral et retourne à Londres. Sa mère, la duchesse de Kent, meurt le 16 mars 1861. Victoria plonge dans le deuil avec violence. Une fois de plus, Albert la console et fait face, seul, aux devoirs de la reine. Fatigué, usé par le travail et les responsabilités, le prince tombe malade. Il s'éteint le 14 décembre 1861 et laisse Victoria folle de chagrin. Inconsolable, la reine écrit : « Comment suis-je encore en vie après avoir assisté à ce que j'ai vu ? Oh, moi qui priais tous les jours pour que nous puissions mourir ensemble et que je ne lui survive jamais ! Moi qui croyais, serrée et blottie dans ses bras bénis aux heures sacrées de la nuit où le monde semblait n'être qu'à nous seuls, que rien ne pourrait jamais nous séparer ! » Dans ses vêtements de deuil que plus jamais elle ne quittera, la reine perd pied, pétrifiée par l'ampleur de la tâche : « Il n'existe plus pour moi de bonheur dans la vie ! Le monde entier ne m'est plus rien... Être séparés au printemps de la vie, voir détruire notre foyer pur, heureux et paisible, qui seul me rendait capable de supporter une tâche si détestée... »

Ses enfants, inquiets, craignent pour sa santé morale ; on lui reproche de prolonger un deuil qui l'empêche de remplir ses devoirs. De retour à Balmoral, elle partage avec Brown un chagrin qu'il semble seul à comprendre. Quatre ans après la mort du prince consort, Victoria installe son « ghillie » à Osborne. Elle écrit dans une lettre du 4 février 1865 : « Ai décidé que Brown resterait de façon permanente et se rendrait utile d'autres manières en dehors de la conduite de mon poney car il est tellement sûr. » Il est nommé « serviteur personnel de la reine » et devient essentiel à son équilibre. « Tout est si parfait. Il est si calme, si intelligent, il a une si bonne mémoire... Il est en outre si dévoué, si attaché, si adroit... C'est si commode d'avoir en permanence dans la maison une personne dont la seule raison d'être est mon service, et Dieu sait combien j'ai besoin qu'on prenne soin de moi. »

La reine devient exigeante et tyrannique. Elle reproche à ses enfants de ne pas s'occuper d'elle et se plaint de la conduite frivole du prince de Galles. Elle se méfie de tout et de tout le monde, et défend son highlander comme elle défendait son mari. « Dans cette maison où il y a tant de gens, tant de racontars, et pas d'homme pour la gouverner, une telle présence n'a pas de prix », écrit-elle à sa fille aînée.

Un secrétaire particulier

Le précieux domestique ne ménage pas sa peine. Les larmes aux yeux, il se recueille au mausolée de Frogmore où Albert est enterré ; quotidiennement, il guide Flora, la jument de la reine, pour d'interminables promenades ; il sert le thé et y ajoute une bonne dose de whisky, ce dont Victoria raffole. La reine est comblée... Grâce à lui, elle oublie son injuste malheur et retrouve le sourire.

En 1867, John Brown devient secrétaire de la reine. Il se tient debout à ses côtés lorsqu'elle ouvre son courrier. Ensemble, ils commentent la politique du gouvernement. Lorsque le Premier ministre veut instaurer une taxe sur la bière, Brown s'y oppose et la reine approuve : « Les classes riches qui boivent du vin peuvent s'adonner à leur plaisir sans limitation et ont de quoi se l'offrir. Mais les pauvres ne peuvent guère payer une taxe supplémentaire sur une boisson qui dans la plupart des régions est la seule qui leur soit permise. » Il est vrai que, sur l'alcool, Brown a de bonnes raisons d'avoir les idées claires. Son penchant pour la boisson est connu de chacun mais la reine ne s'en offusque guère. Elle a toujours fermé les yeux sur les beuveries des sous-sols à Balmoral et semble même s'en amuser. Un jour où le vaillant Écossais s'étale à ses pieds, elle ironise : « J'ai senti comme un léger tremblement de terre ! »

Dans le pays et partout en Europe, la rumeur s'intensifie. Dans les dîners, on surnomme la reine « Mrs Brown ». Sous les traits d'un Américain en visite, un chroniqueur de l'époque raconte : « Peu après mon arrivée en Angleterre, à un dîner en compagnie de gentlemen de haut rang, on ne parlait que d'une certaine Mrs Brown. Un convive m'a charitablement informé que Mrs Brown était un synonyme anglais pour la reine... On disait que la reine était folle et que John Brown était son infirmier... On disait qu'il était son médium... Bref, des centaines d'histoires toutes plus absurdes les unes que les autres mais toutes venant d'hommes importants et de haute autorité. »

Dévoué et loyal serviteur

Brown est partout. Lorsque Bertie, le prince de Galles, se remet de la typhoïde, Brown, en kilt de cérémonie, accompagne la reine jusqu'à la cathédrale Saint-Paul. L'après-midi même, il sauve sa maîtresse d'une tentative d'assassinat. Pour le remercier, elle lui offre une rente annuelle de 25 livres et une médaille d'or. Le prince Arthur, qui s'était lui aussi porté au secours de sa mère, n'aura qu'une épingle à cravate...

La reine ne cache pas ses sentiments pour le bel Écossais et n'en fait qu'à sa tête ; lorsqu'elle le nomme *squire*, elle lui écrit : « Vous verrez dans ce geste mon très grand désir de montrer de plus en plus ce que vous êtes pour moi. Et, au fil du temps, cela deviendra de plus en plus évident. Tout le monde m'entend dire que vous êtes mon ami, celui en qui j'ai le plus confiance. Votre fidèle amie, Victoria R. »

Devenue impératrice des Indes, Victoria retrouve son entrain et sa joie de vivre. Le 1er janvier 1877, elle envoie à Brown une carte de vœux illustrée d'une soubrette et accompagnée des vers suivants :

J'envoie ma servante
Chargée d'une lettre de Nouvel An.
Ses mots témoigneront
De ma fidélité et de mon amour
À vous, le meilleur trésor de mon cœur.
Souriez-lui donc et souriez-moi
Et que votre réponse soit tendre
Et fasse plaisir.

La carte est signée de sa main : « À mon meilleur ami J. B. De sa meilleure amie. V. R. I. »

Sa vitalité retrouvée, la reine Victoria voyage. Elle visite l'Italie et le sud de la France. Brown, bougon et incommodé par le soleil, n'aime pas ces excursions lointaines. Il commence à vieillir ; sa robuste constitution résiste mal aux humeurs éthyliques et il devient irritable.

Porteur de nouvelles tragiques ou heureuses, il apprend à la reine la mort de sa fille Alice en 1878 ou celle de son petit-fils Waldemar, sixième enfant de Vicky, hémophile ; le mariage de Léopold, son fils, lui aussi hémophile, en 1882. Ensemble, ils partagent la joie de la reine qui devient arrière-grand-mère et sa peine à la mort du jeune Louis-Napoléon Bonaparte qu'elle aimait tant. Ensemble, ils entretiennent ce culte insensé de l'époux défunt et vivent dans le souvenir des jours heureux à Balmoral. Les années passent ; la souveraine et le galant highlander ne se quittent pas.

Disparition d'un ami cher

Le 27 mars 1883, John Brown et la reine Victoria se promènent ensemble pour la dernière fois. Le robuste serviteur a pris froid. Alité, il reçoit les soins du docteur Reid, puis tombe dans le coma. Il succombe le soir même dans une chambre noire et glaciale du château de Windsor. Comme à la mort de son époux, la reine s'effondre.

Elle écrit à la femme de Hugh, frère de Brown : « Pleurez avec moi car nous avons tous perdu le cœur le meilleur et le plus loyal qui ait jamais battu… Quant à moi, mon chagrin est sans limites, atroce, et je ne sais comment le supporter ni même le concevoir. Notre cher, cher John, mon meilleur, mon plus cher ami, à qui je pouvais tout dire, qui m'a toujours protégée et qui pensait à tout. »

Dans le cimetière de Crathie, la reine fait poser une pierre tombale sur laquelle sont gravés les vers de Tennyson :

> Plus que serviteur, ce loyal, sincère
> et courageux ami
> Jusqu'au tombeau a fait son devoir
> avant de penser à lui.

Pendant de longues années encore, elle aimera John Brown et restera attachée à son souvenir. Chaque matin, une fleur fraîche est posée sur l'oreiller du serviteur à Balmoral. Dans le parc, sa statue en bronze se dresse à l'endroit même où il se tenait le matin près de la reine. Depuis sa mort, Victoria ne marche plus. On la porte, assise, au cimetière de Crathie, où, chaque année, elle se recueille sur la tombe de son fidèle highlander. Au cœur du mausolée de Frogmore, Victoria repose près de son « ange bien-aimé ». Sur son cœur, John Brown veille. Ensemble, ils partent en voyage, n'en déplaise aux enfants de la reine, exaspérés par l'attitude de leur mère. Ils tenteront, à sa mort, de faire disparaître les traces trop voyantes de leur liaison. En vain. Victoria aimait les hommes avec l'exubérance et la générosité de son caractère emphatique. Sa tendre amitié pour John Brown reste le reflet de son âme, à la fois sincère et noble, constante et passionnée.

1880

Catherine Dolgorouki
et
Alexandre II, empereur de Russie

La belle étudiante et le tsar libérateur

En 1837, l'héritier des Romanoff reçoit de son père l'ordre de faire un voyage d'études à travers l'Europe. Le tsar Nicolas Ier pense que son fils trouvera ainsi l'occasion rêvée de choisir une épouse. Toutes les cours d'Europe accueillent avec faste le grand-duc mais aucune princesse ne retient l'attention d'Alexandre. Après avoir visité la Suède, l'Autriche et l'Italie, le tsarévitch s'arrête quelques heures dans la petite ville de Darmstadt sur l'insistance du grand-duc Louis II de Hesse et du Rhin.

Lorsqu'il aperçoit la princesse Marie, belle, délicieuse et fraîche, il s'étonne de constater que personne n'ait mentionné son nom et qu'elle ne soit pas non plus sur la liste des princesses allemandes à marier. Follement amoureux, il décide aussitôt de l'épouser. On tente alors de lui expliquer que la naissance de la jeune fille est entourée d'un mystère. Elle serait la fille du baron de Grancey. Il n'est donc pas pensable de faire de cette enfant naturelle une future impératrice de Russie. Alexandre s'entête et menace de renoncer à la couronne. Son père s'incline et, le 28 avril 1841, le grand-duc héritier épouse au palais d'Hiver, à Saint-Pétersbourg, la belle princesse Marie de Hesse et du Rhin. Devenue grande-duchesse de Russie, l'enfant adultérine, princesse honteusement cachée, se transformera en épouse docile et reconnaissante. Elle donnera sept enfants au tsar et souffrira, muette et digne, des infidélités d'Alexandre et surtout de sa passion affichée pour la jeune Catherine Dolgorouki.

« Il faut que les réformes viennent d'en haut si on ne veut pas qu'elles viennent d'en bas », déclare solennellement le tsar lorsque, monté sur le trône à la mort de son père le 2 mars 1855, il signe l'ukase libérateur. Après un couronnement éclatant dans la grande cathédrale de l'Assomption à Moscou, où un faste inouï est déployé, le premier geste politique du jeune Alexandre II est l'abolition du servage pour les paysans russes, en place depuis le XVe siècle. Le « tsar libérateur » est un homme aux qualités supérieures. Il a la fermeté d'un autocrate et n'oublie jamais la détermination et le courage que nécessitent ses fonctions. Distinguée et douce, son âme conserve cependant la tendresse d'un perpétuel amoureux, empreinte laissée par le romanesque précepteur et poète libéral Vassili Joukovski qui marqua le quotidien de sa jeunesse. L'homme est avide de sentiments et d'affection. Les grossesses successives de l'impératrice ont marqué un corps dont il s'est déjà lassé et il trouve régulièrement refuge dans les bras de belles princesses honorées de cette distinction impériale.

Une rencontre informelle

Alors qu'il se rend à Teplovka au mois d'août 1857, pour assister à des manœuvres militaires, l'empereur décide de résider chez les Dolgorouki, grande famille d'aristocrates russes, fondateurs de Moscou, attachés à la famille impériale depuis toujours. En l'honneur de sa visite, les Dolgorouki ont fait rénover leur palais. Le jour tant attendu, le prince et la princesse, cloués au lit, envoient leurs enfants à la rencontre du tsar. Les aînés sont à Saint-Pétersbourg, mais les cadets, Anatole, Serge, Catherine et Marie, acceptent de remplir cette mission délicate. La gouvernante française Mme Trépréau charge Catherine de réciter au tsar le compliment de bienvenue et de lui offrir un bouquet. Alexandre II pose sur le front de la fillette un baiser attendri et s'attarde dans les jardins du château, guidé par la seule spontanéité de sa jeune hôtesse.

Un an plus tard, le prince Michel Dolgorouki meurt ruiné. Comme Catherine Mikhaïlovna, Alexandre II garde intact le souvenir de cette promenade enchanteresse. Pour préserver le palais de l'âpreté des créanciers, le domaine des Dolgorouki est placé sous la « tutelle impériale » et l'éducation des enfants est prise en charge par le tsar lui-même. Catherine et sa sœur cadette entrent à l'institut Smolny. Fondé par Catherine II pour les demoiselles de la noblesse russe, le pensionnat déploie sa belle architecture sur les bords de la Neva. Catherine en sort à l'âge de dix-sept ans et s'installe chez son frère Michel, époux d'une belle marquise napolitaine. Alors qu'elle parcourt les allées enneigées du Jardin d'Été, Catherine croise, un jour de printemps, l'empereur qui fait sa promenade quotidienne.

Le tsar est amoureux

Pendant plus de un an, Alexandre II tentera de séduire la jeune Catherine, qu'il surnomme Katia. Celle-ci tombera finalement sous le charme du tsar. D'abord hostile à l'idée d'une romance avec un homme de trente ans plus âgé, la belle aura pitié de la sincère souffrance de l'empereur.

En laissant à son cœur le soin de guider son âme, Katia offre sa destinée à Alexandre au soir du 13 juillet 1866. Le petit Belvédère de Babygone, pavillon à colonnades construit par Pierre le Grand dans le parc de Peterhof avec le secret espoir de surpasser la splendeur de Versailles, accueille le serment du tsar, qui, dès le premier soir, promet à Catherine qu'elle deviendra sa femme. Installé au palais d'Hiver, le tsar reçoit sa maîtresse dans les anciens appartements de son père. Leur idylle ne reste pas longtemps secrète. Tout Saint-Pétersbourg s'offusque de la légèreté du tsar, mais personne n'ose s'opposer à la passion qui dominera Alexandre II jusqu'à la dernière heure de sa périlleuse existence.

L'empereur est régulièrement la cible d'attentats anarchistes. À Saint-Pétersbourg puis à Paris en 1867, il survit aux coups de revolver qu'on lui destine. Il accepte avec fatalisme les risques liés à sa fonction, mais c'est avec plus de vigueur et d'avidité qu'il dévore les heures partagées avec la favorite. Nommée demoiselle d'honneur de l'impératrice, la princesse Dolgorouki peut paraître officiellement aux réceptions éclatantes de la cour impériale. Elle accompagne le tsar dans ses voyages et prend les eaux en sa compagnie à Ems.

Le 30 avril 1872, aux premières heures du jour, Catherine met au monde un petit garçon prénommé Georges. Le tsar, présent lors de l'accouchement, ressort discrètement des appartements de la jeune mère pour se rendre à la messe où toute la cour l'attend. L'impératrice, qui ne peut ignorer la nouvelle, drape son chagrin dans une dignité glaciale dont elle ne se départira plus. Mais cette fois, le tsar doit entendre les reproches qui courent dans toute la Russie. Comment un souverain de cinquante-quatre ans, père et grand-père, peut-il se montrer si peu maître de ses passions ? La naissance de la princesse Olga, l'année suivante, offre la réponse de l'empereur devenu sourd aux doléances de ses détracteurs.

Le 5 juin 1877, Alexandre II quitte sa maîtresse pour rejoindre son armée, engagée dans une guerre contre les Turcs depuis le 27 avril précédent. Le conflit se prolonge et le tsar refuse de quitter ses troupes. Après la prise de Plevna, le souverain se décide enfin à rentrer à Saint-Pétersbourg. Applaudi par la foule, Alexandre II apparaît amaigri et irrévocablement abîmé par les souffrances de la guerre. Il se réfugie dans les bras de sa maîtresse. Elle lui est devenue si indispensable qu'il décide de l'installer dans son majestueux palais, symbole architectural de la puissance des Romanoff. Katia s'installe au palais d'Hiver, dans les appartements situés juste au-dessus de ceux de l'impératrice, qui « pardonne les offenses faites à la souveraine mais ne peut pardonner les tortures infligées à l'épouse ». Le mal secret qui depuis longtemps la ronge semble venir à bout de ses dernières forces. La naissance de la princesse Catherine le 9 septembre 1878 accentuera jusqu'à la mort l'agonie silencieuse de l'impératrice trahie. La princesse Dolgorouki est accusée d'avoir détruit le couple souverain et de fatiguer le monarque déjà terriblement atteint par la fermentation révolutionnaire qui gagne chaque recoin de l'Empire. De retour de Crimée, où il passe l'automne avec sa favorite et leurs quatre enfants, le tsar fait une halte à Moscou. Arrêté en gare, le train qui transportait les bagages saute. Il succédait au train de Sa Majesté alors qu'il aurait dû, selon le règlement, le précéder. L'attentat de Moscou confirme le pire. Désormais, tous les plans des anarchistes, tous leurs calculs, toutes leurs audaces, toutes leurs haines, toutes les puissances de leurs âmes ténébreuses et forcenées se concentrent sur la personne de l'empereur.

Le 17 février 1880, à 18 h 30, une bombe explose dans la salle à manger du palais d'Hiver. Occupé dans son cabinet de travail avec le prince de Bulgarie, le tsar échappe une fois de plus à la mort. Dix jours après, l'empereur crée la « Commission suprême pour la défense de l'ordre social » et en confie la présidence au général Loris Mélikoff, chargé d'écraser les anarchistes, de restaurer l'ordre et d'avancer sur le chemin des réformes.

Un mariage d'amour

Le 8 juin 1880, à 8 heures du matin, l'impératrice meurtrie s'éteint sans que son époux ait pu lui dire adieu. Alexandre II est à Tsarskoïe Selo en compagnie de Catherine. Il fait un aller et retour à Saint-Pétersbourg pour les funérailles et revient auprès de la princesse. Un mois après le décès de l'impératrice, Alexandre II annonce à Katia que le 6 juillet sera le jour de leur mariage.

Après la célébration secrète dans la chapelle du palais, le tsar signe le 5 décembre l'ukase suivant : « Ayant contracté un second mariage légitime avec la princesse Catherine Mikhaïlovna Dolgorouki, Nous daignons ordonner de lui attribuer le nom familial de princesse Yourievski, avec le prédicat d'Altesse Sérénissime. Nous ordonnons d'attribuer le même nom familial, avec le même titre, à Nos enfants ainsi qu'à ceux qui pourraient naître dans l'avenir ; Nous leur conférons pareillement tous les droits appartenant aux enfants légitimes […]. » Informé par son père de l'incroyable nouvelle, le tsarévitch Alexandre, affligé, ne peut que s'incliner devant l'autorité souveraine.

Le peuple commence à s'impatienter. Les réformes espérées ne sont toujours pas annoncées et on doute de l'influence du général Loris Mélikoff. Est-il assez habile pour faire comprendre au tsar que l'exécution du programme libéral est de plus en plus urgente ? Alexandre II passe les plus agréables moments de son existence en famille au palais de Livadia en Crimée. Il travaille sur de grands projets politiques avec le général et la princesse. Loris Mélikoff tente de démontrer à l'empereur que la mise en place d'une charte constitutionnelle lui permettrait sans doute de justifier aux yeux du peuple l'élévation de l'épouse morganatique au rang d'impératrice. Toujours conscient des menaces qui pèsent sur sa vie, le tsar prend le soin de rédiger un testament en faveur de sa femme. De retour à Saint-Pétersbourg, la princesse You-rievski est présentée officiellement à la famille impériale. Convaincu par les arguments du général, Alexandre II décide d'engager les réformes nécessaires à l'évolution vers un système représentatif et étudie le moyen de faire de Katia la nouvelle impératrice de toutes les Russies. Dans les rues, la fièvre monte. Les jours passent et rien ne vient. Les anarchistes participent à l'effervescence géné-rale, terreau idéal pour une révolution.

Le samedi 12 mars 1881, le tsar signe le manifeste qui annonce au peuple russe l'introduction d'un organe représentatif dans le Conseil de l'Empire. Il donne l'ordre de le faire publier le lundi matin dans les jour-naux. Soulagé, le tsar s'endort persuadé d'être à la veille d'une ère nouvelle.

La mort tragique du tsar

Le dimanche 13 mars, il quitte sa femme pour se rendre à la parade de la garde. À 14 h 15, après avoir pris le thé chez sa cousine, la grande-duchesse Catherine, il remonte en voiture et ordonne de rentrer vite au palais d'Hiver. Sur le parcours, quelques agents de police sur-veillent la foule. La voiture impériale file le long du canal situé près des jardins du palais Michel. À son passage, un jeune homme jette un paquet sous les jambes des trotteurs. Le choc est terrible, mais le tsar sort indemne de la voiture. Il se précipite vers les blessés et disparaît dans la fumée d'une seconde explosion. Quand le nuage se dissipe, on aperçoit Alexandre II au sol, essayant de s'appuyer sur les mains, les jambes broyées par la déflagration. À grand-peine, on l'installe dans un traîneau qui le ramène, mourant, au palais d'Hiver. Le tsar meurt quelques minutes après son arrivée, à 15 h 30. Son corps est placé dans la chapelle ardente du palais d'Hiver, dans son uniforme du régiment Preobrajenski. Chancelante, la princesse Yourievski s'approche de la dépouille de son mari et dépose entre ses doigts une longue mèche de ses cheveux. L'empereur assassiné, son histoire avec Katia trouve sa fin tragique, expression cruelle et définitive d'une fatalité trop souvent pressentie.

Devenu tsar, Alexandre III annulera la publication du manifeste impérial, balayant de ce seul geste d'autorité le testament politique de son père et le rêve libéral de tout un peuple. Trente ans plus tard, la Russie sombrait dans la révolution, et le dernier tsar Nicolas II disparaissait en martyr. Catherine, installée en France avec ses enfants, décède le 15 février 1922 à Nice. Elle repose au cimetière russe de Caucade sur les hauteurs de Nice, face à la mer. Dans le centre-ville, sa résidence la « *Villa Georges* », transformée depuis en appartements, existe toujours et avec elle le souvenir de cette belle histoire d'amour, immortalisée par tant de cinéastes.

1894

Alix de Hesse
et
Nicolas II, empereur de Russie

Sous le faste et la tragédie

Fils aîné du tsar Alexandre III de Russie et de Maria Feodorovna née princesse Dagmar de Danemark, le tsarévitch Nicolas n'a que seize ans lorsqu'il rencontre pour la première fois celle qui deviendra son épouse, la princesse Alix de Hesse et du Rhin. Il en tombe immédiatement amoureux. Le 27 mai 1884, il note dans son journal : « Je me suis assis à côté de la petite Alix de douze ans, que j'aime vraiment beaucoup. » Leurs premiers regards furtifs s'échangent pendant le mariage de la sœur d'Alix, la sublime Elisabeth « Ella », avec le grand-duc Serge de Russie, oncle de Nicolas, en 1884. Alix, qui porte une robe de mousseline blanche semée de petites roses, découvre avec émerveillement le palais d'Hiver où se déroule la cérémonie, alliant le luxe ostentatoire de Byzance au raffinement plus discret de l'Europe. Une atmosphère qui tranche avec celle qu'a connue jusqu'ici la petite fille, élevée dans la simplicité d'une petite cour allemande. C'est d'ailleurs là-bas que « Sunny » (« Radieuse »), comme on la surnomme, est frappée par un terrible drame familial : sa mère, Alice, fille de la reine Victoria, et sa sœur cadette, May, succombent à la très contagieuse diphtérie qu'Alix, âgée de six ans, a contractée la première. Seule survivante, elle en gardera une culpabilité et une tristesse qui ne la quitteront plus jamais. Heureusement, la reine Victoria veille tout particulièrement sur sa petite-fille préférée, dont la grande timidité la soucie déjà. Éduqué loin des réalités politiques du pays, Nicolas est également un jeune homme timide qui se plaît dans le monde clos du régiment d'élite du Preobrajenski. Petit et effacé, il est loin de l'image truculente et imposante de ses illustres ancêtres. Cependant, bien qu'élevé dans le puritanisme, le tsarévitch a quelques maîtresses, dont la plus célèbre est la danseuse Mathilde Kschessinska, première ballerine du théâtre impérial de Saint-Pétersbourg. Mais il n'arrive pas à oublier Alix : « J'aime Alix H. depuis trois ans déjà et j'espère constamment pouvoir me marier avec elle un jour, si Dieu le veut ! », écrit-il dans son journal en avril 1892.

Cependant, la ravissante jeune fille refuse obstinément de se convertir à l'orthodoxie pour pouvoir l'épouser. D'effroyables scènes de pleurs se déroulent entre les deux jeunes gens, desquelles Nicolas ressort totalement désemparé. Enfin, sa constance est récompensée le jour du mariage, à Cobourg, du grand-duc Ernest-Louis de Hesse, frère aîné d'Alix, et de la princesse Victoria Mélita de Grande-Bretagne : « Jour merveilleux, inoubliable – le jour de mes fiançailles avec ma chère et adorable Alix », écrit-il le 8 avril 1894. Nicolas rejoint sa fiancée en Angleterre, où elle est partie recevoir une instruction religieuse et apprendre le russe, les bras chargés de cadeaux, dont un magnifique collier de perles de chez Fabergé qui lui arrive presque jusqu'aux pieds ! Ils passent là-bas quelques semaines idylliques, à faire de longues promenades en amoureux dans le parc du château de Windsor. Mais, déjà, un drame les frappe, le 1er novembre 1894...

« Je n'ai pas été préparé à régner... »

Le tsar Alexandre III, qui n'a pourtant que quarante-neuf ans, se meurt. Nicolas est effondré à l'idée de lui succéder : « Je n'ai pas été préparé à régner, je ne l'ai jamais désiré. Je ne sais rien de la façon de gouverner. Je n'ai même pas la moindre idée de la manière dont il faut parler aux ministres ! », confie-t-il, paniqué, à son beau-frère et cousin le grand-duc Alexandre. Alix, qui n'est pas davantage préparée à devenir impératrice, le rejoint précipitamment et soutient de toutes ses forces celui qui va devenir, à vingt-six ans, le souverain du plus vaste empire du monde.

79

Leur mariage se déroule dans la chapelle du palais d'Hiver, le 14 novembre 1894, soit une semaine après les funérailles d'Alexandre III. La jeune et très sensible mariée a l'air « encore plus pâle et plus délicate que d'habitude », remarque le grand-duc Constantin, oncle de Nicolas II, et semble mal à l'aise face aux huit mille invités présents. Pourtant Alix, devenue par sa conversion à l'orthodoxie Alexandra Feodorovna, est magnifique dans sa robe de soie blanche brodée d'argent. Elle porte sur les épaules un lourd manteau brodé d'or et ourlé d'hermine, tenu par cinq chambellans, et sa chevelure reflète l'éclat d'un magnifique diadème de diamants. Elle tient un délicat bouquet de roses blanches décoré de rubans pourpres brodés d'or au chiffre de Pierre le Grand. Le tsar, qui a choisi pour témoins son frère le grand-duc Michel, le prince Georges de Grèce et ses cousins les grands-ducs Cyrille et Serge, porte l'uniforme rouge des colonels des hussards. À la sortie du palais d'Hiver, le couple impérial est accueilli par les ovations de la foule, qui l'acclame pendant près de cinq heures.

Nicolas et Alexandra s'installent au palais de Tsarskoïe Selo, dans les environs de Saint-Pétersbourg, où ils goûtent un bonheur parfait : « Je ne peux être plus heureux avec un ange comme ma femme », écrit le tsar à la reine Victoria. Le 3 novembre 1895 naît leur première fille, Olga, un gros bébé de 5 kilos ! Le couple mène une existence paisible au palais, protégé par une petite armée et donc complètement coupé du peuple russe, qui ne demande pourtant qu'à l'aimer.

Le 14 mai 1896[1], Nicolas est couronné empereur de toutes les Russies au cours d'une interminable cérémonie dans la cathédrale Ouspenski. Il porte l'uniforme bleuvert du régiment de la garde du Preobrajenski, tandis que la ravissante Alexandra a revêtu une magnifique robe de cour blanche barrée d'une écharpe rouge. Au-dessus de leurs têtes, les membres de leur suite tiennent un baldaquin de drap d'or surmonté d'un panache de plumes d'autruche. Nicolas prend ensuite place sur un trône de gemmes et de perles, et Alexandra sur un trône d'ivoire, sous les yeux d'une prestigieuse assemblée, étincelante de bijoux. La future reine Marie de Roumanie, notamment, qui porte une robe et un manteau dont la longue traîne de cour est entièrement brodée de branches d'églantines, est présente : « Je revois distinctement Alexandra, debout dans toute sa splendeur, à côté de l'empereur, dans la cathédrale ruisselante d'or. Une lumière blonde enveloppe la brillante assemblée, venue pour rendre hommage aux deux souverains les plus jeunes de l'Europe. Tous les yeux sont rivés sur l'impératrice, l'élue entre les élues, consacrée par l'huile sainte et nimbée d'un éclat que peu d'êtres peuvent atteindre », écrit-elle dans

---

1. Le calendrier julien en usage en Russie au XIXe siècle était décalé de douze jours sur le calendrier grégorien.

Histoire de ma vie. Après la cérémonie, le couple impérial, revêtu du manteau du sacre en brocart brodé d'aigles, sort saluer la foule, vers laquelle le nouveau tsar s'incline par trois fois. Un tonnerre de canons ébranle la ville qui va pendant trois jours célébrer l'événement.

Mais le sort continue à s'acharner sur leur bonheur. Au champ de Khodynka, où se déroulent des réjouissances le lendemain, une bousculade générale éclate lorsque se répand le bruit que tout le monde ne pourra profiter du buffet dressé pour l'occasion. Étant donné les centaines de milliers de personnes présentes sur les lieux, il est impossible de se rendre immédiatement compte de l'étendue du désastre, si bien que le tsar et la tsarine, mal informés, se montrent calmement au balcon. Lorsque Nicolas apprend, bouleversé, qu'il y a eu plus de quatre mille victimes, il pense immédiatement décommander les célébrations de la soirée. Mais, de nouveau mal conseillé par sa famille et son entourage, il se rend quand même au bal organisé par l'ambassadeur de France. Le peuple ne le lui pardonnera jamais.

Le temps des épreuves

Malgré ce sinistre présage, Nicolas et Alexandra entreprennent une tournée politique dans les pays étrangers. Ainsi, après Vienne, Copenhague et Balmoral, les souverains arrivent le 5 octobre 1896 en France, où une foule d'un million de personnes les acclame. Ils sont aussitôt plongés dans le tourbillon épuisant des obligations officielles, telles que la pose de la première pierre du pont Alexandre-III, la visite de l'église orthodoxe de la rue Daru, de la Manufacture de Sèvres, du palais de la Monnaie ou de l'Hôtel de Ville de Paris. Lorsqu'ils rentrent en Russie, Nicolas commence véritablement son règne. Au plan politique, le tsar entend rester fidèle aux principes de l'absolutisme autocratique appliqués par son père, et très rapidement, libéraux et révolutionnaires voient s'évanouir leurs rêves de changement. De son côté, l'impératrice s'attire déjà l'antipathie de nombreux membres de la cour. La reine Victoria avait craint, à juste titre, que la timidité maladive de sa petite-fille ainsi que son manque d'expérience la fissent passer pour hautaine auprès de la société russe. Pierre Gilliard, le précepteur des enfants impériaux, explique ainsi son attitude : « Malgré tous ses efforts, elle ne parvint jamais à être banalement aimable et à assimiler cet art qui consiste à effleurer tous les sujets avec une grâce superficielle. C'est que l'impératrice est avant tout une "sincère" [...]. » Quant aux membres de la famille impériale, habitués à beaucoup se fréquenter, ils reprochent également à Alexandra, jalouse de l'intimité de son foyer, son peu d'empressement à les recevoir.

Il est vrai que l'impératrice aime à se replier sur elle-même et ses enfants, dans l'intimité d'un bonheur sans nuage. Après la naissance de trois autres filles – Tatiana, le 29 mai 1897, Maria, le 14 juin 1899, et Anastasia, le 5 juin 1901 –, l'héritier tant attendu voit enfin le jour, le 30 juillet 1904. Le peuple russe défile par milliers dans les rues, au son des cloches et des carillons, exultant de joie malgré les déroutes que subit l'armée en Asie face aux Japonais qui assiègent Port-Arthur. Le tsarévitch Alexis est un enfant superbe, dont sa mère est très fière : « On voyait percer en elle la joie débordante d'une mère qui a vu enfin s'accomplir son vœu le plus cher. On la sentait heureuse de la beauté de son enfant », se rappelle Pierre Gilliard. Les quatre grandes-duchesses sont également des fillettes ravissantes qui s'entendent à merveille. Si elles ont chacune leur parfum préféré – rose thé pour Olga, jasmin de Corse pour Tatiana, lilas pour Maria et violette pour Anastasia –, elles signent de leurs quatre initiales, « OTMA », leurs lettres ou leurs cadeaux. Peu préoccupées par leur rang, elles aident les servantes à faire leur lit et à ranger leur chambre.

Tandis que s'amoncellent les nuages à l'horizon politique, la vie privée de la famille impériale suit son cours tranquille dans une parfaite harmonie au palais Alexandre à Tsarskoïe Selo. Nicolas se lève tous les matins à 7 heures, prend son petit-déjeuner avec ses enfants, puis tous disparaissent pour aller travailler, à l'exception de la tsarine, qui sort rarement de sa chambre avant midi. À 11 heures, le tsar et les enfants interrompent leur travail pour prendre l'air dans le magnifique parc, pendant une heure. À midi, ils rentrent pour déjeuner avec les membres de leur petite suite qui comprend, notamment, la baronne Buxhoeveden, le précepteur Pierre Gilliard, Mlle Schneider et les tendres amies de l'impératrice, Anna Vyroubova et Lili Dehn, ou encore la princesse Orbeliani. L'après-midi, tandis que les enfants reprennent leurs leçons, Alexandra fait souvent une promenade en voiture dans la campagne, alors que Nicolas préfère chevaucher à travers champs, s'arrêtant volontiers au passage pour bavarder avec les paysans, jusqu'au village de Krasnoïe Selo. À 16 heures, toute la famille se retrouve pour l'immuable rituel du thé, moment de la journée très attendu des grandes-duchesses qui mettent de jolies robes pour la circonstance. Chacune a son caractère propre : Olga est la plus douce ; l'autorité et l'énergie de Tatiana lui valent d'être surnommée par ses frères et sœurs « la gouvernante » ; Maria est la gaieté incarnée ; et Anastasia, la plus espiègle. Le tsar reçoit un flot de visiteurs jusqu'à 20 heures, heure à laquelle on dîne en famille. Puis on lit ou l'on coud sans cérémonie. À 11 heures, Nicolas et Alexandra montent dans leur appartement lilas, la couleur préférée de l'impératrice et, à la différence des autres couples royaux, partagent la même chambre.

Derrière les portes qui abritent tant d'harmonie se cache cependant un lourd secret. Un mois et demi après sa naissance, Nicolas et Alexandra n'imaginent pas encore que l'hémorragie ombilicale dont souffre Alexis est en fait le premier symptôme de son hémophilie. Alexandra comprend cependant vite qu'il souffre de ce terrible mal dont elle porte les gènes, lorsque, au moindre choc, ses jambes ou ses bras se couvrent de bosses d'un bleu noirâtre. Ses souffrances sont atroces, qui l'empêchent de quitter le lit pendant plusieurs semaines, voire plusieurs mois, et de plier ses membres. Mais la douleur morale de ses parents est peut-être pire. Nul ne doit savoir que l'héritier de l'Empire peut mourir à tout moment, alors Nicolas et Alexandra font tout pour garder ce terrible secret, qui les isole encore un peu plus de leur entourage.

Les derniers feux des Romanoff

Le temps des épreuves ne fait pourtant que commencer. Le 9 janvier 1905, des centaines de manifestants réclamant une Constitution sont tués par la police, au cours du fameux « dimanche rouge ». Nicolas est bouleversé en apprenant la nouvelle dans la nuit, lui qui avait juste demandé que l'ordre soit respecté. L'Empire russe vient de recevoir le premier coup qui le fait déjà vaciller.

La révolution s'étend de jour en jour jusqu'à ce que le tsar, arc-bouté au sacro-saint principe de l'autocratie, soit contraint de lâcher du lest et d'accepter la première assemblée élue, la Douma. Mais il est déjà trop tard... Entre 1906 et 1911, le tsar laisse les commandes du pays à son Premier ministre Stolypine, qui apporte au gouvernement impérial un nouveau souffle, en initiant notamment une réforme agraire. Mais, en septembre 1911, Stolypine est assassiné à l'opéra de Kiev, sous les yeux du tsar. Avec Stolypine, le régime a perdu sa dernière chance de régénération. La catastrophe est inéluctable...

C'est pourtant dans la joie et l'insouciance qu'est célébré en 1913 le tricentenaire de l'accession au trône du premier Romanoff. « Partout où nous passions, nous étions accueillis par des démonstrations de loyalisme qui touchaient presque au délire », écrit dans son journal la grande-duchesse Olga, sœur de Nicolas II. De toute la Russie, des délégations en costumes nationaux affluent à Saint-Pétersbourg pour être présentées au tsar, et de magnifiques bals sont organisés. La tsarine y assiste vêtue de tenues toutes plus belles les unes que les autres : robes à la mode occidentale ou, un soir, pour rendre hommage à sa patrie d'adoption, une longue tunique de brocart à l'orientale avec la traditionnelle coiffe des impératrices, le *kokochnik* brodé de diamants et de pierres précieuses. Aveugle, le couple impérial voit dans le succès de ces célébrations la ferveur et la fidélité de tout un peuple envers son tsar.

Dans un tourbillon de fêtes, la cour impériale brille de ses derniers feux le 9 février 1914, lors du mariage du superbe prince Félix Youssoupoff avec la princesse Irina, fille du grand-duc Alexandre et nièce unique du tsar. Félix, le plus bel homme de la cour, porte l'uniforme de la noblesse russe – pantalon blanc, redingote noire au col et aux revers brodés d'or. Irina a revêtu une magnifique robe sur laquelle retombe un voile de dentelle ayant appartenu à la reine Marie-Antoinette. Sa corbeille de mariage regorge de somptueux bijoux offerts par son fiancé : huit diadèmes en diamants et pierres précieuses, de fabuleuses parures comprenant des dizaines de colliers, de broches, de bracelets, de pendentifs de diamants bleus et blancs, de rubis, de saphirs, de perles, etc. La beauté de la cérémonie du mariage conforte une fois de plus le tsar dans sa vision d'une Russie d'un autre temps et, pense-t-il, éternelle...

Sous la coupe de Raspoutine

Mais, chaque jour davantage, la famille impériale est confrontée aux crises d'hémophilie du tsarévitch et s'enfonce dans l'angoisse. Seule une personne parvient à apaiser la tsarine – qui souffre en outre de terribles maux de dos et de troubles de la circulation sanguine –, en exaltant ses sentiments religieux : Raspoutine (« le Débauché »), un pauvre paysan devenu « homme de Dieu », qu'on lui présente en 1906. Son physique étrange et inquiétant, sa foi et son réel charisme exercent une emprise sur Alexandra, convaincue que Raspoutine a le don d'améliorer la santé d'Alexis. Elle l'appelle au secours à la moindre crise. Malgré les critiques de son entourage qui parvient à le faire renvoyer plusieurs fois, le faux moine fait peu à peu le vide autour du couple impérial.

Au moment de la déclaration de guerre de 1914, Raspoutine, qui s'est borné jusque-là à des conseils d'ordre privé, incite Nicolas à ne pas entrer dans le conflit. Malheureusement, le tsar ne l'écoute pas et prend même la direction du commandement en chef des armées. Fatale erreur. Loin de la capitale, centre névralgique où se prennent les décisions politiques, Nicolas est coupé de tout et laisse à la tsarine et surtout à Raspoutine, restés à Tsarskoïe Selo, une marge de manœuvre dangereuse. En effet, Alexandra écoute aveuglément celui qu'elle appelle « notre ami » dans ses lettres à Nicolas, et donne souvent de mauvais conseils à son mari, qui nomme au gouvernement des politiciens incapables de remédier à la situation. Pourtant, confiante dans les conseils de son inquiétant mentor et persuadée que l'autocratie est le seul remède aux maux de la Russie, elle persiste dans ses choix et tente de remonter le moral de son cher mari, perdu dans la lointaine Biélorussie : « Montre-leur à tous que tu es le maître et que ta volonté doit être obéie – le temps de la grande indulgence et de la gentillesse est terminé – maintenant que commence le règne de la volonté et du pouvoir, et ils seront obligés de s'incliner devant tes ordres et tout ton pardon. Pourquoi les gens me détestent-ils ? Parce qu'ils savent que j'ai une grande volonté lorsque je suis convaincue qu'une chose est bien (en plus quand elle est bénie par Grégory)... », lui écrit-elle le 4 décembre 1916, pensant agir au mieux pour sa chère patrie d'adoption.

À la fin de 1916, l'imminence de la catastrophe est évidente pour tous, sauf pour Nicolas et Alexandra qui se débattent dans leurs problèmes personnels. Tout d'abord, Alexis est en proie à une crise redoutable. Ensuite, Raspoutine a été assassiné dans les derniers jours de décembre, comme il l'avait pressenti : « Je sens que j'aurais quitté cette vie avant le 1er janvier », écrit-il quelques jours avant sa mort. Dans cette même lettre adressée à Nicolas, il prédit également : « Si ce sont tes parents qui causent ma mort, alors personne dans ta famille – aucun de tes enfants, aucun de tes parents – ne restera en vie plus de deux ans encore. » Il ne leur reste en effet plus que deux années à vivre...

Le piège se referme...

Après la mort de Raspoutine, le piège se referme rapidement et inexorablement sur la famille impériale, totalement désemparée. La révolution éclate, alors que Nicolas est reparti sur le front. Après plus de trois cents ans de règne, la chute des Romanoff ne prend que quelques heures : en mars 1917, les soviets triomphent à Petrograd. Nicolas signe l'acte d'abdication pour lui et son fils en faveur de son frère Michel, qui ne sera tsar qu'un jour, et il est mis aux arrêts avec Alexandra et leurs cinq enfants dans leur résidence du palais Alexandre à Tsarskoïe Selo. Oubliés de tous, ils s'efforcent de se construire une nouvelle vie pendant leurs cinq mois de captivité, à l'intérieur du périmètre qui leur a été fixé, gardés par des soldats qui les suivent pas à pas. Pendant que l'impératrice, prématurément vieillie par les événements, coud ou brode dans le jardin, les autres membres de la famille s'activent dans le potager qu'ils ont aménagé. Mais les conditions de détention sont très difficiles : « Depuis quelque temps, on ne nous donne que très peu de bois et il fait extrêmement froid partout », raconte le fidèle Pierre Gilliard, qui continue de donner des leçons aux enfants, qu'il a suivis dans leur captivité, comme le reste de leur petit cercle des temps heureux : Mlle Schneider, la comtesse Hendrikoff, le prince Dolgorouky et le général Tatistcheff. Au mois d'août 1917, la famille est transférée en Sibérie, dans la maison du gouverneur de Tobolsk. Leurs conditions de vie restent semblables, au début, à celles de Tsarskoïe Selo, mais, peu à peu, leurs libertés sont restreintes : ils ne peuvent pas aller à l'église et sont obligés de rester dans la cour fermée de la maison. Cependant, dans ce huis clos, s'installe entre la famille impériale et ses geôliers, étonnés de découvrir un tsar bien différent de l'ogre assoiffé de sang que les bolcheviks se plaisent à décrire, une relation d'amitié. Au point que Lénine est souvent obligé de changer les gardes qui ne peuvent s'empêcher de s'attacher à leurs prisonniers. Les leçons, les jeux, la lecture, les cours de religion et d'histoire donnés par le tsar et la tsarine occupent les journées. Sans doute conscient de l'impossibilité d'un « retour à la normale », Nicolas tente de cacher, ou du moins de faire oublier à sa famille, le terrible drame qu'ils vivent.

Cependant, la rudesse de l'hiver sibérien et les succès remportés par les forces contre-révolutionnaires exaspèrent les gardes qui se montrent plus autoritaires et violents, insultant les grandes-duchesses ou faisant continuellement subir des vexations au tsar, et les privations matérielles deviennent de plus en plus drastiques. C'est alors que l'on décide de transférer la famille impériale dans l'Oural, à Iekaterinbourg, une ville aux mains de révolutionnaires beaucoup plus extrémistes que ceux qui contrôlaient Tobolsk. Au mois de mai 1918, elle emménage dans la maison Ipatieff, du nom de son propriétaire ; elle est également appelée par les bolcheviks « la maison à destination spéciale », ce qui signifie, pour Lénine, la mort...

Au début de l'été 1918, la famille souffre de plus en plus des conditions de détention, surtout le tsarévitch, qui se remet difficilement d'une chute. Les forces contre-révolutionnaires approchent d'Iekaterinbourg, si bien que le soviet régional de l'Oural prend la décision d'exécuter les prisonniers sans attendre leur jugement. Dans la nuit du 16 au 17 juillet, les gardes réveillent la famille impériale et leurs compagnons d'infortune : le docteur Botkine, la femme de chambre Anna Demidova, le chef de cuisine Kharitonoff et le vieux laquais Troup, pour, leur dit-on, les mettre en sûreté dans un autre lieu au cas où éclateraient des fusillades en ville. Habillés à la hâte, ils sont conduits au rez-de-chaussée, dans une petite pièce où l'on installe des chaises et des coussins, pour attendre les voitures. L'attente se prolonge lorsque, tout à coup, le commissaire Jacob Yourovsky, qui commande le détachement de la maison Ipatieff, pénètre dans la pièce, accompagné de sept hommes. Il s'avance vers le tsar et lui dit : « Les vôtres ont voulu vous sauver, mais ils n'y ont pas réussi et nous sommes obligés de vous mettre à mort. » Incrédule, Nicolas II n'a que le temps de s'écrier : « Quoi ? » avant d'être abattu d'un coup de revolver. Puis les soldats exécutent le reste des prisonniers. Le massacre dure une demi-heure. Les balles ricochent en effet sur les bijoux que les grandes-duchesses ont cachés dans leurs vêtements et se perdent dans les coussins qu'elles tiennent serrés contre leur poitrine. Alexis et Tatiana seront achevés à coups de baïonnette et de crosse. Les corps sont transportés dans un camion jusqu'à une clairière où se trouve une mine abandonnée. Ils sont déshabillés, puis dépecés. À la vue des bijoux, la fièvre gagne les bolcheviks, ils deviennent fous, se battent puis se les partagent. Ils jettent ensuite les effets personnels dans un puits de mine et les recouvrent d'acide sulfurique et de chaux. Les corps sont alors remis dans le camion qui s'embourbe dans la terre molle de la forêt. Finalement, la macabre cargaison est enfouie sous les rondins de bois d'un pont de fortune, sur lequel le camion passe et repasse, pour la faire disparaître.

Le surlendemain, les « blancs » entrent à Iekaterinbourg...

En 1990, en pleine perestroïka, les corps de Nicolas II et des siens sont retrouvés et exhumés, puis enfin identifiés après plusieurs années d'analyse ADN. Huit ans plus tard, le 17 juillet 1998, le gouvernement russe, organise en présence de nombreux descendants Romanoff, des funérailles officielles pour le dernier tsar de Russie et sa famille à la forteresse Saint-Pierre et Saint-

Paul, nécropole de la famille impériale. Pourtant deux corps manquent, ceux de Marie et d'Alexis. Relançant ainsi, l'hypothèse de leur survie. Ils seront finalement retrouvés en 2007 dans la forêt, non loin de l'endroit où se trouvaient les corps de leurs parents. L'année suivante, le plus important laboratoire américain d'analyse génétique confirme qu'il s'agit bien des deux enfants de Nicolas II et d'Alexandra, mettant ainsi fin à cette longue tragédie humaine.

1900

Sophie Chotek
et
François-Ferdinand, archiduc d'Autriche

La dame d'honneur
et l'héritier des Habsbourg

Il aura suffi d'une étincelle. Lorsqu'en ce 28 juin 1914, Gavrilo Princip braque son revolver sur l'archiduc François-Ferdinand d'Autriche, il embrase le foyer déjà couvant des obscures contrées balkaniques. Par la fanatique violence de cet assaut mortel, l'Empire austro-hongrois perd l'héritier du trône, et entraîne l'Europe entière sur le chemin morbide et destructeur de la Grande Guerre. Si le destin l'avait fait régner, l'histoire se serait peut-être attachée à donner une image moins grossière de cet homme. Mort à Sarajevo, il restera à tout jamais le neveu de l'empereur François-Joseph, un homme sensible, ouvert sur le monde, dont le mariage inégal suscita la fureur de l'empereur, la chute des Habsbourg et la fin d'un vaste et puissant empire. La tragédie de Mayerling, en 1889, retire un fils au couple impérial et un héritier direct à la couronne.

L'archiduc Charles-Louis, deuxième des quatre frères de l'empereur François-Joseph, prend la place de Rodolphe dans l'ordre bien établi de la succession au trône. Mais à la mort de l'archiduc, en 1896, c'est son fils François-Ferdinand qui lui succède, à trente-trois ans. Il a perdu sa mère à l'âge de huit ans et a grandi dans l'indifférence d'un père absent. L'éducation qu'il a reçue est celle des Habsbourg, à la fois austère et sévère, dénuée de tendresse et de chaleur. Dans l'indifférence générale, François-Ferdinand se construit comme il peut, tout juste nourri de la pitié sincère de sa bienveillante belle-mère. De faible constitution, il est très vite sujet à une forme ténébreuse de tuberculose. L'empereur envoie donc le neveu ombrageux se faire soigner en terres étrangères. C'est en luttant contre la maladie et contre ceux qui voudraient le voir disparaître que François-Ferdinand acquiert l'ambition qui lui attirera tant d'inimitiés à la cour de Vienne. L'homme est coléreux, soupçonneux et sujet à de trop fréquentes crises de nerfs. On le dit imprévisible et avare, violent et cruel.

Et pourtant, lorsque François-Ferdinand rend visite à sa cousine, l'archiduchesse Isabelle, l'homme dur sait porter un regard doux sur les jeunes femmes qui l'entourent. Certes, il y a les filles de l'archiduchesse, que celle-ci aimerait bien marier à l'héritier du trône ; mais ce n'est pas cette ribambelle de pipelettes que François-Ferdinand remarque. L'élue s'appelle la comtesse Sophie Chotek de Chotkowa et Wognin. Sa voix, à la fois discrète et déterminée, attire la curiosité du soldat. Tchèque et aristocrate d'origine, Sophie doit cependant gagner sa vie. Dame de compagnie et lectrice de l'archiduchesse, elle possède la beauté des êtres intelligents et cultivés, ce qui est plutôt rare chez les dames de cour. Et c'est sans doute ce qui plaît à François-Ferdinand. Il déteste les commérages méchants et futiles qui nourrissent ces après-midi oisifs. Il trouve en Sophie une femme brillante, volontaire et courageuse, et en tombe immédiatement amoureux.

Un secret révélé au grand jour

Après quelques mois d'une relation délibérément cachée, l'affaire éclate par l'étourderie d'un François-Ferdinand épris. En effet, celui-ci oublie sa montre après une partie de tennis, l'archiduchesse la ramasse et ouvre le médaillon, croyant sans doute découvrir le visage d'une de ses filles, ce qui aurait tout naturellement expliqué les visites fréquentes et l'amabilité de l'héritier. Lorsqu'elle y trouve, niché dans la plus scandaleuse illégalité, le portrait de sa dame de compagnie, l'archiduchesse outragée renvoie l'audacieuse. L'empereur est immédiatement informé de cette relation inconvenante et tente de raisonner l'héritier, mais François-Ferdinand le mal-aimé s'entête et propose même à la jeune fille de l'épouser. Cela est bien évidemment inacceptable pour François-Joseph, empereur et garant de traditions royales ancestrales. L'oncle et le neveu, qui ne se sont jamais compris, se déchirent au cours d'orageuses discussions avant de trouver un compromis. L'empereur accepte le mariage mais Sophie ne sera jamais archiduchesse d'Autriche, elle ne pourra jamais régner, ni les enfants qui naîtront de cette union. François-Ferdinand fait publiquement le serment de respecter ces conditions humiliantes. Le mariage morganatique de l'archiduc et de la comtesse Sophie Chotek est alors célébré dans la plus triste intimité à Gratz, le 1er juillet 1900.

Quelques jours plus tard, l'empereur offre à l'intrigante le titre de princesse de Hohenberg. C'est la première des nombreuses humiliations que Sophie devra subir à la cour de Vienne, car ce titre n'est pas un honneur, il est en général porté par les jeunes archiduchesses et c'est ainsi que, dans les cortèges, l'épouse de l'héritier défile aux côtés de fillettes âgées d'une petite dizaine d'années, aux derniers rangs. Lorsque François-Ferdinand entre dans une pièce, les deux battants de la porte s'ouvrent à son passage ; très vite, on en referme un lorsque l'intruse arrive. Courageuse et humble, Sophie subit l'acharnement de la cour avec dignité et résignation.

François-Ferdinand le violent se révèle doux et affectueux. L'épouse est comblée. Le couple trouve refuge au château d'Artstetten, à soixante kilomètres de Vienne. Sophie donne naissance à trois beaux enfants dont l'archiduc s'occupe avec patience et générosité. Et pourtant, le plus angoissant des pressentiments s'infiltre peu à peu au cœur de ce fragile bonheur familial.

L'Europe bascule

François-Ferdinand n'a pas les mêmes visions politiques que son oncle vieillissant. L'héritier a organisé une sorte de contre-gouvernement au palais du Belvédère, en face de l'impériale Hofburg. On y développe des idées novatrices en opposition totale avec l'immobilisme ambiant. En 1908, l'Autriche avait annexé la Bosnie. François-Joseph y avait été reçu triomphalement, les Bosniaques préférant certainement l'élégance viennoise à la pesante influence ottomane. Mais, depuis, les Serbes ont secrètement nourri un désir d'expansion territoriale et certains nationalistes aimeraient bien chasser les Autrichiens de cette partie des Balkans. François-Ferdinand sent bien que son voyage à Sarajevo représente un danger. Il confie ses craintes à l'empereur qui leur porte une oreille distraite. Une fois de plus, le mal-aimé n'est pas écouté. Il partira donc. Sophie, inquiète et dévouée, insiste pour l'accompagner, et c'est le drame.

À Trieste, Sophie, Maximilien et Ernst attendent le retour de leurs parents. On n'ose pas leur dire que les vacances sont finies et qu'ils sont orphelins. Dans sa résidence de Bad Ischl, l'empereur d'Autriche-Hongrie apprend la terrible nouvelle et l'analyse ainsi : « C'est affreux, c'est affreux ! On ne brave pas impunément le Tout-Puissant ! Cet ordre que je n'ai pas eu le courage de sauvegarder, le voilà rétabli par la volonté du Très-Haut. » Même la mort atroce de son neveu n'aura pas su apaiser sa rancœur. Les choses reprenaient enfin un cours normal et finalement ce n'était pas plus mal...

L'organisation du service funèbre est confiée au très redouté prince de Montenuovo. Enfant né d'une union morganatique, il a toujours voué au couple défunt une haine profonde et trouve enfin le moyen de publiquement s'en libérer. Comme un rappel mesquin de la différence de condition entre les deux époux, le cercueil de Sophie est placé sur un piédestal plus bas que celui de son mari. Présentés à tous, disposés sur la bière, une paire de gants et un éventail, symboles des anciennes fonctions occupées par la princesse. François-Ferdinand savait depuis toujours que l'acharnement impérial n'aurait pas de limites. En représailles posthumes à l'implacable inhumanité de son oncle, il a refusé d'être enterré dans la nécropole des Habsbourg au couvent des Capucins. Il veut reposer aux côtés de son épouse dans la crypte du château d'Artstetten. François-Ferdinand le méconnu quitte le monde en douce compagnie, laissant la horde de ses détracteurs inonder du sang des peuples les ruines d'un empire bientôt enseveli.

1907

Enrico Toselli
et
Louise, princesse de Saxe

Les frasques d'une héritière

Tête baissée, la comtesse d'Ysette marche seule dans les rues de Bruxelles. La Seconde Guerre mondiale s'achève. Les dernières années de misère ont terni l'incroyable vitalité de Louise. Elle attend la mort et se retourne, sans regrets, sur le gâchis que fut sa vie ; une existence tourmentée, ponctuée de scandales et de folles passions, qui éloigna très vite la princesse de Saxe de son destin de reine.

Le 21 novembre 1891, Louise, archiduchesse d'Autriche, quitte la Hofburg au bras de celui qu'elle s'est choisi. Elle vient d'unir sa vie au prince Frédéric-Auguste, héritier du trône de Saxe, dont elle est follement amoureuse. Après une lune de miel passionnée au château royal de Prague, les époux regagnent Dresde et son palais glacial.

Les Saxons adorent leur nouvelle petite princesse. Drôle, vive et audacieuse, Louise bouleverse parfois les

107

règles de l'étiquette et s'attire l'inimitié de son beau-père, avec lequel elle se déchire. La princesse est plusieurs fois enceinte et donne à son époux six enfants dont on confie l'éducation à un précepteur belge nommé André Giron. Louise s'ennuie tellement dans l'austère château de Dresde qu'elle décide de s'occuper elle-même de l'éducation de ses enfants. Elle assiste de plus en plus souvent aux leçons du beau précepteur et glisse fort rapidement dans l'adultère. En 1903, enceinte de son septième enfant, Louise s'enfuit à Genève avec son amant, dont elle se sépare néanmoins quelques mois plus tard.

La naissance d'Anna Monica ne calme pas les ardeurs de Louise, désormais comtesse de Montignoso par la grâce de son père, le grand-duc Ferdinand IV de Toscane. Lorsqu'elle rencontre le pianiste Enrico Toselli en 1906, son cœur s'emballe comme celui d'une adolescente. Il faut dire que c'est un séduisant jeune homme de vingt-quatre ans, déjà célèbre dans toute l'Italie. Cet ancien élève de Sgambati et de Martucci, enthousiasme les foules par ses prodigieux concerts. Partout où il passe, de Rome à Venise en passant par Pise ou Montecatini, il est acclamé, comme une vedette.

Louise a trente-quatre ans. Reniée par son mari, oubliée de sa famille, elle vit d'un apanage concédé par son mari devenu le roi Frédéric-Auguste III. La comtesse invite cet artiste de talent à prendre le thé à la villa

Montauto, près de Florence. Enrico se met au piano et entame sa célèbre *Serenata Rimpianto*. Louise fond sur sa proie, qui n'oppose aucune résistance : « J'espère Monsieur Toselli que ce ne sera pas la dernière fois que j'aurais le plaisir de vous voir, dit-elle en lui tendant sa main à baiser. Si vous n'avez pas d'engagement, je vous attendrai à la villa, lundi prochain, à trois heures. »

En juillet 1906, le couple part en villégiature, flâner sur les bords du lac de Côme où Toselli écrira plus tard : « Nous nous livrâmes au plaisir de nous abandonner à la caresse des flots. » Très vite, la maîtresse passionnée est de nouveau enceinte. Enrico est piégé, mais il accepte d'épouser Louise dont le comportement autoritaire et imprévisible lui semble déjà inquiétant. Ils se marient le 25 septembre 1907 au consulat d'Italie à Londres et accueillent leur fils Carlo Emanuele le 7 mai 1908, surnommé « Buby ».

Menacée de perdre son apanage, Louise accepte de laisser partir sa fille Anna Monica pour Dresde. Les Toselli s'installent à Florence. Enrico souhaite se consacrer paisiblement à son art, mais Louise s'ennuie déjà dans son rôle de mère et d'épouse dévouée qui tourne les pages des partitions d'Enrico. Pour passer le temps et sortir de son oisiveté quotidienne, l'ex-princesse de Saxe écrit ses souvenirs dans un livre intitulé *Ma vie*, ce qui une fois encore fait scandale. Le livre est d'ailleurs interdit en Allemagne et en Autriche. Ce qui ne l'empêche pas de faire la une de tous les quotidiens. Cette soudaine célébrité la pousse à partir en voyage. Mais très vite, sa vie bascule, elle contracte des dettes et néglige son fils. En 1911, Enrico, poussé à bout par les absences répétées de son épouse, la somme de réintégrer le domicile conjugal avec le petit « Buby ». Mais Louise s'entête et continue à se griser en mondanités et en fêtes incessantes. Constatant l'état de santé déplorable de leur fils, Toselli, décide alors d'arracher l'enfant à sa mère : le 21 octobre 1911, profitant de l'absence de Louise, il enlève le petit garçon pour le placer en sûreté chez ses parents en Toscane. Le couple divorce le 9 avril 1912, et l'enfant est confié à la garde exclusive de son père. Déçu dans son amour-propre par cette rupture, le célèbre italien rédige à son tour ses mémoires, intitulés *Mari d'Altesse : 4 ans de mariage avec Louise de Toscane, ex-princesse de Saxe.* Louise, quant à elle, quitte à tout jamais l'Italie pour s'installer à Ixelle, une commune de Bruxelles, sous le nom de comtesse d'Yvette.

Lorsque le royaume de Saxe disparaît avec la Grande Guerre, Louise sombre dans la pauvreté. Elle meurt le 23 mars 1947, enfermée dans ses souvenirs mais libérée de ce lourd parfum de sensualité dont elle entoura sa folle existence.

1911

Nathalie Cheremetieff
et
Michel, grand-duc de Russie

Dans la tourmente de l'Histoire

© D.R.

B. lith. de Delpech.

J. Bernadotte.

Après avoir été maréchale d'Empire
par son mariage avec Joseph Bernadotte,
puis princesse de Pontecorvo, Désirée
Clary devient, malgré elle, reine d'un pays
dont elle ne connaît rien.

© D.R.

D'une beauté et d'une personnalité à couper
le souffle, Lola Montez fait vaciller le cœur
du roi Louis Ier de Bavière, qui octroie à la belle
andalouse le titre de comtesse de Landsfeld.

© Rue des Archives/Tal

© Rue des Archives/Tal

© D.R.

© D.R.

© D.R.

Lorsque François-Joseph rencontre pour la première fois sa cousine Sissi, le jeune souverain impose à sa terrible mère son choix de l'épouser. « Ce sera elle, ou aucune autre. »

Rares sont les documents sur
lesquels on peut apercevoir
la reine Victoria et son cher
highlander, John Brown.

L'empereur Alexandre II et sa seconde
épouse Katia, entourés de leurs deux
premiers enfants : Georges (1872-
1913) et Olga (1873-1925).

Photographie officielle représentant
le futur Nicolas II, avec sa fiancée la
princesse Alix de Hesse, à Darmstadt,
le 18 avril 1894.

© D.R.

Seuls mais heureux, l'archiduc François-
Ferdinand et Sophie Chotek posent
le lendemain de leur mariage, à Gartz,
en juillet 1900.

© D.R.

Au temps du bonheur, la princesse Louise de Saxe et son second mari, le pianiste Enrico Toselli, à Venise. Après cinq ans de mariage, le couple divorce le 9 juin 1912.

Contre l'avis de Nicolas II, son frère, le grand-duc Michel, épouse Nathalie Chérémetieff. Les voici en Grande-Bretagne, loin de s'imaginer le destin tragique qui les attend.

L'élégance et le charme de Jeanne
Lambrino font tourner la
tête au prince héritier Carol
de Roumanie. Le couple
se marie clandestinement
à Odessa, le 31 août 1918.

© D.R.

© D.R.

Le futur Léopold III de Belgique le jour
de ses fiançailles avec la belle princesse
Astrid de Suède.

À la fin des années cinquante, Léopold III pose avec sa seconde épouse, la princesse Liliane de Rethy,
leurs trois enfants et les deux fils qu'il a eus avec la reine Astrid, le roi Baudouin et son frère, Albert,
actuel roi des Belges.

Enfin libres et heureux, Wallis
et Édouard se retrouvent
sur le balcon du château
de Candé, après la cérémonie
de leur mariage, célébré
le 3 juin 1937.

© D.R.

À trente-huit ans, l'ancienne
Miss France 1930, Yvette
Labrousse devient la quatrième
et dernière épouse
de l'Aga Khan III.

© D.R.

Le 30 décembre 1916, non loin du palais Youssou-poff sur les bords de la Moïka, à Saint-Pétersbourg, un homme est jeté à moitié mort au fond des eaux glacées de la Neva. Mais les assassins ont oublié de lester son corps et, deux jours plus tard, l'horrible silhouette figée du célèbre *Starets* flotte sous l'épaisse couche de glace au large de l'île Petrovski.

Raspoutine mort, l'impératrice Alexandra Feodorovna perd un guide et la Russie entre dans la phase la plus dramatique de son histoire. Abattue par le chagrin, isolée dans son deuil, l'épouse du tsar Nicolas II épingle un mot d'adieu sur les vêtements de son ami avant de refermer le cercueil et d'envisager sa vengeance. Pour elle, il ne fait aucun doute que le meurtre a été perpétré par des membres de son entourage. En représailles, Alexandra exige le départ immédiat pour le front perse de son neveu le grand-duc Dimitri Pavlovitch qui, avec l'aide du prince

Félix Youssoupoff et de quelques complices, a orchestré cette macabre tragédie. Ironie du sort, cet exil forcé sauvera la vie à Dimitri. Bien loin de Saint-Pétersbourg et des troubles de la révolution bolchevique, il pourra alors sans trop d'encombres fuir à l'étranger.

Le père de Dimitri, le grand-duc Paul, à la suite de son mariage morganatique en 1902 avec une femme divorcée, a été banni de Russie et est parti vivre en France. Dimitri et sa sœur ont été confiés à leur oncle, le grand-duc Serge, et à sa femme, Elisabeth Feodorovna, sœur de la tsarine. Mais après l'assassinat de Serge en 1905, c'est Alexandra et Nicolas II qui ont pris en charge avec affection l'éducation du petit. C'est pour cette raison que l'impératrice trahie est particulièrement sévère à l'égard de ce neveu préféré.

Pour l'heure, Dimitri est un homme séduisant à la réputation de noceur. Ce bel officier du régiment de la Garde à Cheval a vingt-trois ans lorsqu'il tombe sous le charme de l'épouse de son cousin le grand-duc Michel. Ils passent de longs après-midi ensemble pendant que Michel, frère cadet du tsar, se bat sur le front. Nathalie, que ses intimes surnomment affectueusement Natacha, est une très belle femme ; son allure et son élégance émerveillent ses admirateurs. Une intimité à peine cachée s'est peu à peu installée entre la gracieuse comtesse Brassoff et « Brin de muguet », visiteur assidu du palais de Gatchina. Dans ses lettres à Michel, Nathalie ne cache pas ses sentiments d'amitié pour ce jeune compagnon. Michel, follement amoureux de son épouse, supporte mal cette franchise provocante et tient d'ailleurs à lui rappeler les débuts passionnés de leur idylle scandaleuse : « Je me souviens avec tendresse [...] de cet après-midi, à l'école d'équitation, lorsque je vous ai vue pour la première fois en me demandant : "Qui est cette dame ?", et que j'ai finalement trouvé le courage de m'avancer vers cette belle inconnue. »

Michel Alexandrovitch est le petit-fils du tsar libérateur, Alexandre II. Né le 22 novembre 1878 au palais de Gatchina, Michel a de beaux yeux bleus qui reflètent la mélancolie des Romanoff. Très grand, comme la plupart des membres de sa famille, il mesure plus d'1,80 mètre. Ses traits conservent la beauté et le charme de l'adolescence. Michel séduit par son amabilité, son esprit et son sens de l'humour. Même la vieille reine Victoria, malgré son antipathie pour les Romanoff, le trouve très agréable et particulièrement amusant. Chef d'escadron, il se rend un jour au manège du régiment de l'impératrice appelé les « Cuirassiers bleus » et croise le regard de Mme Wulfert. Une fois de plus, le grand-duc se laisse charmer par l'interdit. Divorcée d'un premier mariage, Nathalie a épousé un de ses lieutenants. Elle deviendra la femme de sa vie, la compagne des dernières heures, et le suivra jusqu'aux portes de la mort.

La vie sentimentale de Micha a toujours donné des sueurs froides à sa mère, l'impératrice douairière, Maria

Feodorovna, et à son frère, le tsar Nicolas II. Avant la naissance d'Alexis, Michel est premier dans l'ordre de succession. Il passe second lorsque, après quatre filles, la tsarine met enfin au monde un petit garçon. Mais Michel reste concerné par l'héritage impérial, le tsaré-vitch souffrant d'une terrible maladie : l'hémophilie.

L'histoire d'Alexandre II et de Katia Dolgorouki hante encore les esprits et Nicolas II redoute que cette tare fami-liale, étendue désormais à de nombreux grands-ducs, ne touche aussi son petit frère et n'entache le prestige de la dynastie. Lorsque Michel tombe amoureux de la demoi-selle de compagnie de sa sœur Olga, l'impératrice Maria Feodorovna met tout en œuvre pour séparer ce couple de naissances inégales. Alexandra Kossikovskaïa, surnommée Dina, est priée de quitter le pays. Malheureuse loin de Michel, la jeune femme revient à Saint-Pétersbourg. Elle sera arrêtée lors de sa fuite vers l'Italie où elle doit rejoin-dre le grand-duc pour leur mariage secret. Puis Dina part pour l'Angleterre. Elle ne reverra jamais la Russie, ne se mariera jamais et mourra dans la misère à Berlin en 1923.

À l'hôtel d'Angleterre

La deuxième rencontre avec Natacha a lieu en 1907, pendant le bal d'hiver des « Cuirassiers bleus ». Elle est alors âgée de vingt-sept ans. Mère d'une petite Nathalia née de son premier mariage avec Serge Mamontoff, pianiste au théâtre du Bolchoï, elle a su garder « une grâce lente, onduleuse, caressante (qui) émane de ses moindres gestes ». Elle est intelligente, cultivée et méprise de sa calme indifférence les regards outragés de l'aristocratie russe hostile aux divorcées. Ce soir-là, Michel l'invite à danser une mazurka et reste avec elle toute la soirée. Wladimir Wulfert, honoré par la présence du grand-duc à sa table, assiste impuissant à la naissance d'une aventure fatale, inexorablement enchaînée au destin de la Russie et à la chute de la famille impériale. Cette idylle se transforme en passion dans la suite royale du magnifique hôtel d'Angleterre à Copenhague. Michel prend le prétexte d'un voyage chez sa grand-mère, la reine Louise de Danemark, pour organiser ce séjour amoureux qui dure huit jours. Avant de repartir sur son yacht, le *Zarnista*, Micha accompagne sa maîtresse sur le quai de la gare. Il la suit des yeux jusqu'à ce que sa capeline blanche disparaisse au loin. Assise dans le train, Nathalie prend le temps de savourer les mots que son amant a griffonnés sur une carte postale avant le départ : « Ma chère et belle Natacha, il n'y a pas assez de mots pour te remercier de tout ce que tu apportes à ma vie. Notre séjour ici restera toujours le souvenir le plus brillant de toute mon existence. »

Ils s'installent ensemble avec la fille de Nathalie, la petite « Tata », dans une maison de Moscou. Natacha ne tarde pas à découvrir qu'elle est enceinte... et toujours mariée à

Wladimir Wulfert, qui a donc tous les droits sur l'enfant si un divorce n'est pas prononcé très vite. Le 27 juillet 1910, le petit Georges voit le jour à Moscou. Sur l'insistance de Michel, le souverain donne au nouveau-né le patronyme Mikhaïlovitch et le nom de Brassoff. Le jugement de divorce est prononcé quelques semaines plus tard et l'on achète le renoncement de Wulfert. Le certificat de baptême est « rectifié » et Natacha devient Mme Brassoff. Tous ces arrangements de convenance n'empêchent cependant pas les commérages et la haine affichée de l'impératrice pour cette femme deux fois divorcée qui n'appartient même pas à l'aristocratie. Le couple reçoit tout de même l'autorisation de s'installer dans la propriété de campagne du grand-duc à Brassovo. Mais le tsar est très clair sur un point : il n'est pas question d'entendre parler de mariage.

En exil par amour

La maison se remplit d'invités. Natacha se sent enfin chez elle mais n'est pas encore totalement satisfaite. Elle ne comprend pas pourquoi Michel n'obtient pas l'autorisation de l'épouser et elle s'en offusque. Le grand-duc a donné sa parole à son frère. Mais devant le mépris ouvertement affiché envers la femme qu'il aime, les insultes et les humiliations de son entourage, Michel décide d'épouser Nathalie, même s'il doit se passer de l'autorisation du tsar. Le mariage sera donc clandestin ! Sur la route qui les mène en Autriche, Michel, au volant de l'une de ses automobiles, ne peut s'empêcher de penser à la vie qui l'attend. Il connaît l'influence de l'impératrice sur son frère et sait qu'elle l'encouragera à se montrer sévère. Les amants échappent assez facilement à la surveillance des agents de l'Okhrana engagés par Nicolas II pour tenter d'éviter l'irrémédiable. Ils se marient dans le silence intime et solennel d'une petite église orthodoxe à Vienne le 16 octobre 1911. C'est Michel qui annonce par lettre à son frère et à sa mère son mariage avec Nathalie. Le choc est terrible pour l'impératrice douairière ; bouleversée par l'impudence de son fils, elle considère cette union comme un véritable désastre impérial. Le tsar, furieux, exige l'exil de son frère. Michel est révoqué de son poste et ses biens administrés par un séquestre. Après une saison sur la Riviera, le couple banni se réfugie à une trentaine de kilomètres au nord de Londres, près de Stevenage, dans une magnifique résidence appartenant au comte de Lytton : Knebworth House.

Retour en Russie

À la veille de la déclaration de la guerre avec l'Allemagne, Nicolas II autorise enfin son frère et la plupart des grands-ducs en exil à rentrer. Michel se bat sur le front, où il reçoit les lettres parfois trop légères de son épouse. Les moments qu'elle passe avec son cousin Dimitri lui paraissent bien futiles, mais ils ravivent surtout son amour pour elle et de douloureux maux d'estomac qui ne le quitteront plus. « Brin de muguet » prépare dans le plus grand secret l'assassinat de Raspoutine dont l'influence est dramatique pour l'avenir de l'empire. À ceux qui tentent de le raisonner, le tsar promet qu'il mettra fin aux fonctions du guérisseur, mais ses promesses restent vaines. Le souverain, incapable de s'opposer à sa femme, n'envisagera jamais de la priver du soutien de Raspoutine. À l'instant où Alexandra Feodorovna apprend le meurtre de son plus fidèle ami, elle pense inévitablement à l'épouse de Micha, la diabolique Natacha, qui s'entend si bien avec Dimitri. Elle hait ces Romanoff qui ne savent pas tenir leur rang, et exhorte son mari à la venger. Il n'en aura pas le temps. La déferlante bolchevique s'abat sur le pays. Pour éviter sa propagation et la mort inutile d'un grand nombre d'innocents, Nicolas II, au soir du 15 mars 1917, seul dans l'un des compartiments du train impérial, abdique, pour lui et son fils malade, en faveur de son frère. Michel veut être confirmé dans ses fonctions par une assemblée constituante ; celle-ci ne pouvant aboutir, il renonce à son tour au trône quelques jours plus tard. Après trois cents ans de règne, les Romanoff ne sont plus ! Nicolas II et toute sa famille sont mis aux arrêts à Tsarkoïe Selo avant d'être transférés à Tobolsk.

Pour l'amour de son mari

Dans la nuit du 31 juillet au 1ᵉʳ août 1917, Nicolas et Michel se voient pour la dernière fois. Le moment est poignant pour les deux frères. Sans le savoir, ils pressentent que cet instant est unique. Dix jours plus tard, Micha et Natacha sont arrêtés puis séparés.

Relâchée, Nathalie se démène sans compter pour faire libérer Michel. Elle force toutes les portes, jusqu'à celle du bureau de Lénine. Celui-ci promet d'examiner la question. Mais le 11 mars 1918 à 1 heure du matin, le grand-duc Michel et son fidèle secrétaire Nicolas Johnson sont conduits par une nuit glacée à la gare Nicolas Iᵉʳ. Après trois heures d'attente angoissée, ils montent dans un train de marchandises pour une destination inconnue. Ils n'en reviendront jamais… Après huit jours de voyage dans des conditions épouvantables, les deux prisonniers arrivent épuisés, sales et affamés à Perm, aux portes de la Sibérie, à mille six cents kilomètres de Saint-Pétersbourg. À peine installé dans un hôtel, Michel est conduit en prison.

Nathalie, profondément inquiète, reçoit un télégramme de son mari lui annonçant « qu'il doit rester en cellule jusqu'à nouvel ordre ». À nouveau, elle se bat avec acharnement pour sa libération. À force de démarches insistantes, elle finit par l'obtenir, et le 9 avril, Michel est relâché mais placé en résidence surveillée dans une chambre de l'hôtel Korolev. Par la suite, le

Comité exécutif de Perm le libère définitivement en lui déclarant que, désormais, il décline toute responsabilité sur sa sécurité.

Sitôt libre, Michel écrit à son épouse : « Ma Natacha à moi, très chère, je peux enfin t'écrire ouvertement. [...] Ma tête n'arrête pas de tourner. J'ai tant à te dire, car j'ai vécu beaucoup de choses au cours des cinq dernières semaines depuis mon arrestation. Ma Natacha chérie, merci de tout cœur pour tes belles lettres et aussi pour tous les ennuis que tu as eus en me venant en aide. [...] Tu peux être tout à fait sûre et certaine que tu continues à occuper la plus grande partie de mon cœur. [...] J'ai toujours envie de tes caresses. Je pense constamment à toi, mon ange, et cela me blesse de me dire que tu dois traverser ces temps redoutables [...]. » Croyant encore pouvoir vivre « normalement », Natacha le rejoint à Perm le 10 mai 1918. Après seulement quelques jours de bonheur angoissé, elle repart retrouver sa fille Nathalia. À la fin du mois de mai, Nicolas II, son épouse et leurs cinq enfants sont transférés à quatre cents kilomètres au sud-est de Perm, au fond de l'Oural, à Iekaterinbourg. Le Soviet suprême de Moscou a déjà décidé du sort des Romanoff. Les ordres sont donnés : ils devront tous être exécutés. Le dernier empereur, Michel II, sera la première victime de cette longue série d'assassinats.

Le dernier tsar est assassiné

À minuit, le mercredi 12 juin 1918, Mikhaïl Alexandrovitch Romanoff s'apprête à prendre un bain lorsque trois hommes armés surgissent dans sa chambre d'hôtel et l'emmènent de force. Michel est ensuite violemment jeté dans une voiture. Un autre coupé transporte son fidèle secrétaire. Quelques minutes plus tard, les voitures ralentissent à l'orée d'un bois et y pénètrent lentement. Michel ne comprend pas. On lui demande de descendre. Il fait quelques pas dans la nuit puis s'écroule, assassiné de sang-froid avant d'avoir pu envisager le pire. Nicolas Johnson gît à ses côtés. Les corps sont dépouillés puis recouverts de feuillages. Son frère Nicolas sera exécuté cinq semaines plus tard, le 17 juillet de la même année. Pour Michel, on fait croire à une évasion. Le petit Georges, réfugié au Danemark, écrit à son père et demande à Natacha à quelle adresse il doit envoyer sa lettre. À son tour arrêtée, Nathalie rassemble ses forces pour tenter d'échapper à ses geôliers puis à la Tcheka. Elle réussit à s'enfuir en emmenant sa fille avec elle. Cachée à Odessa, Natacha apprend la signature de l'armistice et l'arrivée des Anglais. Embarquée à bord du *Nereide*, elle passe par Constantinople, Malte, Marseille puis Paris, avant de s'installer à Londres en mars 1919. Elle y retrouve « Brin de muguet » et son fils Georges venus la rejoindre. Natacha vit au rythme des rumeurs. Michel est aperçu en Indochine, au Japon ou au Siam, mais ne revient pas. Ce n'est qu'en 1924 qu'elle accepte l'idée qu'il a été abattu par les bolcheviks. L'impératrice douairière s'éteint à Copenhague en refusant d'admettre la disparition de ses fils.

Un tragique destin

Natacha a de plus en plus de problèmes d'argent. Elle vend ses bijoux et les décorations de Michel. Sa fille Nathalia se marie sans son consentement en août 1921 et disparaît de sa vie. Installée à Paris depuis 1927, c'est dans son appartement de la rue Berlioz qu'elle apprend le décès de Georges, tué sur la route dans sa nouvelle Chrysler. Il était le portrait de son père. Georges meurt à l'hôpital de Sens le 21 juillet 1931 sans avoir pu revoir sa mère. Plus rien ne retient alors celle qui, depuis 1928, porte le titre de princesse Romanovsky-Brassoff, conféré par le grand-duc Cyrille, chef de la Maison impériale de Russie. Nathalie connaît alors une vie d'errance, de regrets et de souffrance.

Au début de l'hiver 1952, elle agonise dans une salle commune de l'hôpital public Laennec, rue de Sèvres, à Paris. Le certificat de naissance retrouvé dans l'une de ses poches permet de connaître l'identité de la mourante sans cependant révéler son incroyable destinée. Nathalie

fut la femme la plus belle, la plus adulée et la plus scandaleuse de la Russie impériale au temps béni de son
amour interdit pour le grand-duc Michel de Russie.
Morte seule et misérable, elle a été néanmoins enterrée
dignement aux côtés de son fils au cimetière de Passy.
Le corps du grand-duc Michel de Russie ne sera jamais
retrouvé. Aucune sépulture décente n'a pu être dressée.
Michel, le dernier tsar de Russie, gît au fin fond d'une
obscure forêt de Sibérie, oublié de tous comme il le sera
de l'Histoire. Mais, plus fort que tout, son amour pour
la belle Natacha demeure pour l'éternité.

1918

Jeanne Lambrino
et
Carol, prince héritier de Roumanie

Dix jours de bonheur

Rédigé comme un exutoire à de sourdes blessures, l'ouvrage porte la dédicace tremblante de son auteur : « À mes chers amis, Irène et Félix Youssoupoff, qui par ce petit livre connaîtront mieux mon tragique destin. Affectueusement. Z. Lambrino. » Ces pages retracent l'histoire amère d'un amour englouti. La romance impossible du roi Carol II, alors prince héritier de Roumanie, et de la belle Jeanne Lambrino, tendrement surnommée Zizi. Au fil des mots, Jeanne évoque l'intimité passionnée de deux êtres éperdument amoureux. Un amour pur et entier qui puise les racines de son exception dans les plus doux moments de l'enfance, avant de s'évanouir sous le poids accablant des convenances dynastiques.

Jeanne Marie Valentine Lambrino naît à Roman, dans le nord de la Roumanie, à la fin du XIXᵉ siècle. Son enfance est rythmée par les voyages. Un nomadisme mondain qui entraîne la société aristocratique sur les plages d'Ostende en été et sur les rivages de la Côte d'Azur les longs mois d'hiver. À Bucarest, la jeune fille fréquente un club de patinage parrainé par le prince héritier Ferdinand et par la princesse Marie, son épouse. Toute la haute société s'y donne rendez-vous et Jeanne y retrouve le prince Carol, fils aîné du prince héritier, qu'elle connaît depuis l'enfance. Leur amitié a la spontanéité et l'enthousiasme des jeunes années. Ils se donnent rendez-vous à la Chaussée pour de longues balades en voiture, aux courses, chez des amis ou sur le terrain d'aviation.

Mais c'est à l'un de ces bals tant prisés que Jeanne a la révélation : ses sentiments pour Carol dépassent la simple camaraderie affectueuse. Est-ce vraiment l'amour qui fait naître cette gêne nouvelle au cœur de leur amitié d'enfants ? Sans doute. Jeanne goûte alors la saveur encore inconnue de ces sentiments troublants et profite avec légèreté des derniers jours de paix. À la mort du roi Carol Ier, le 10 octobre 1914, Ferdinand accède au trône et entre en guerre aux côtés des Alliés. En ce 25 septembre 1916, Jeanne et Carol prennent le thé. Rien ne peut perturber ce tête-à-tête et, malgré les bombardements, Jeanne gagne sa partie de trictrac. Le lendemain, Carol offre à la jeune fille une charmante pendulette et s'invite une autre fois à prendre le thé. Jeanne n'en revient pas. Elle le reverra une dernière fois. Sur le front, les troupes allemandes gagnent peu à peu du terrain et finissent par envahir la Roumanie. La débâcle de l'armée entraîne l'évacuation d'urgence de Bucarest. Jeanne quitte la capitale le 20 octobre en compagnie de sa mère pour la Moldavie et, après un voyage de trois jours dans des wagons à bestiaux, arrive enfin à Tecuci. Elle y soigne les blessés et distribue des vivres aux soldats qui partent sur le front. Si les horreurs de la guerre font perdre à Jeanne un peu de son insouciance, elle reste habitée par le souvenir de son prince. Lorsqu'elle quitte Tecuci pour Jassy, où la famille royale s'est repliée, elle sait qu'elle va enfin le revoir.

Très vite, Carol prend ses habitudes dans le salon de fortune que Mme Lambrino a tenté de recréer. Malgré les circonstances, Carol et Jeanne vivent les plus belles heures de leur romance. Nourris de folles excursions en Rolls-Royce, de lettres enflammées et de chants moldaves, leurs sentiments ne cessent de croître. Jeanne raconte : « Notre amour reposait non seulement sur le penchant mutuel de nos cœurs, mais sur une compréhension réciproque de nos aspirations et sur une amitié de tous les instants. »

Un prince amoureux

La nature de leurs liens est trop évidente pour que le roi Ferdinand n'en prenne pas la mesure. Longtemps, il ferme les yeux en se disant sans doute qu'il faut bien que jeunesse se passe, mais son fils Carol n'est pas seulement jeune, il est aussi follement amoureux. Un jour que sa visite chez les Lambrino n'est pas attendue, la Rolls s'arrête devant la maison. Le prince emporte Jeanne loin du regard maternel et demande : « Baby, cette petite main-là, veux-tu me l'accorder ? » Et lorsqu'il voit le regard de la belle se voiler de larmes, il ajoute : « Je n'ai qu'un rêve, qu'un désir, celui d'être lié à toi pour la vie. »

Le prince sait pertinemment que ses projets de mariage vont se heurter au veto formel du roi et à la fureur de la reine Marie. Sa mère est une femme exigeante, pour laquelle rien ne compte plus que la grandeur du pays, le courage et la dignité de la famille royale en ces temps de guerre. De plus, Carol n'ignore pas que la princesse héritière doit être de sang royal et que, depuis l'abdication d'Alexandre-Jean Ier en février 1866, les Roumains, en choisissant le prince Charles de Hohenzollern-Sigmaringen (Carol Ier) comme souverain, ont décidé de ne plus jamais avoir de roi ou de reine de leur nationalité. Or Jeanne est roumaine, et, malgré son aristocratique ascendance, n'a pas les soixante quartiers de noblesse requis pour, un jour, devenir reine. Leur amour est donc condamné. La jalousie du sort, qui rôde parfois autour des bonheurs princiers, va s'acharner sur Carol et Jeanne jusqu'à épuiser la froide détermination du prince, dont il ne cesse pourtant de donner des preuves à sa bien-aimée.

Isolé par une jaunisse pendant plus de six semaines, le prince imagine le moyen d'échapper au veto parental et confie ses plans à un jeune officier qui accepte de l'aider. Il veut quitter le pays incognito, se marier selon son cœur et gagner ensuite un pays allié pour continuer le combat. L'officier se procure les faux passeports qui permettront de passer la frontière et, le 20 août 1918, à 8 heures, la Rolls attend devant la porte des Lambrino. Le village est encore endormi et le temps exécrable. Après quelques kilomètres, la voiture s'embourbe et ne veut plus repartir. C'est en carriole que les fiancés atteindront la gare de Parlitzi. À la station frontière de Bender, les trois voyageurs passent sans encombre le premier poste de douane. Devant eux, un pont ; de l'autre côté, la liberté.

En fuite par amour

Les passeports à la main, leur compagnon devance les amoureux clandestins. Les voyageurs sont arrêtés une dernière fois au poste de douane russe, où les papiers sont inspectés. La frontière est renforcée par un service de garde allemande. Un premier tampon est apposé sur les passeports, lorsqu'un officier allemand arrive, écarte d'un geste brusque la main libératrice : « Un moment, dit l'homme. C'est le prince Carol de Roumanie. » Avec l'assurance d'un prince royal, Carol explique calmement : « Je ne cacherai pas que je suis le prince héritier de Roumanie. Mais je voyage incognito et je fais appel à votre sens des convenances. Je me rends en Russie pour servir de témoin au mariage de l'ami qui nous accompagne. Mais les circonstances de guerre, la fin si récente des hostilités m'obligent à entourer ce voyage à l'étranger d'un certain anonymat. Je vous demande de n'en rien dévoiler. » L'officier allemand cède mais insiste pour que le prince soit escorté jusqu'à Odessa. Échappant à la vigilance de leurs gardes, Jeanne et Carol se marient le 31 août 1918 à l'église Pokrowska. Jeanne raconte : « Nous nous sommes mariés seuls, indifférents au monde, en la seule présence de Dieu, dans une église quasi déserte, et faisant pour ainsi dire de cette cérémonie la conspiration sacrée de notre amour. » Croyant, par ce sacrement, pouvoir à tout jamais imposer la force de leur union, les jeunes époux rentrent à Bucarest. Le bonheur aura duré dix jours.

Sous les verrous

La rapidité avec laquelle sombre leur idylle n'a d'égale que l'obstination furieuse et destructrice de la reine. Pour Marie, Jeanne n'est qu'une intrigante rongée par l'ambition, et son fils un audacieux qui bafoue l'autorité royale. La punition sera immédiate et l'acharnement incessant. Sur ordre du roi, Carol est enfermé soixante-quinze jours au monastère de Horaïtza. Malgré les promesses épistolaires de son jeune mari, Jeanne sent que la volonté du prince chancelle. Les souverains veulent obtenir l'annulation du mariage et Carol ne tarde pas à capituler. La décision est notifiée par le Parlement le 8 janvier 1919. À la libération du prince, les époux sont séparés. Jeanne est constamment surveillée. On la retient loin de Bucarest jusqu'à ce que l'annulation soit officielle le 29 mars suivant.

Cette dernière acquise, les souverains acceptent que Carol renoue avec Jeanne, car le prince n'a pas renoncé à son ex-épouse. Ils se revoient tout d'abord furtivement avant de se mettre en ménage. On tolère la maîtresse comme on avait refusé l'épouse. Mais la pression royale ne désarme pas. Marie a décidé d'envoyer son fils en mission au Japon. À bout de forces, épuisé par l'ardeur opiniâtre de sa mère, le prince laisse parler la faiblesse de son tempérament en tentant de se suicider. Envoyé en convalescence sur les bords du Danube, Carol apprend, transporté de joie, la nouvelle de sa future paternité. Il est heureux. Il veut encore y croire. Mais Zizi sait déjà que la résistance du prince n'a plus l'intensité des débuts. Doucement, le destin des deux amoureux glisse vers sa fatale échéance. Malgré la grossesse de Jeanne, Marie s'entête. Carol reçoit un nouvel ordre du roi, accompagné d'une lettre de sa mère : « Pour la dernière fois, au nom de tout ce qui pour vous était sacré, je viens vous demander s'il est possible que vous laissiez votre régiment aller se battre au front et que vous ne partiez pas avec lui. [...] Carol, Carol, ne brisez pas mon cœur. Votre Maman. » Pour ajouter au pathétique, la reine insiste : « Vous m'aviez dit une fois, me regardant dans les yeux, que je n'aurais jamais honte de vous. » Carol est vaincu. Que peut une épouse répudiée contre les devoirs princiers et les suppliques d'une mère ? Marie a trouvé les mots justes. En exhortant son fils et prince à remplir son devoir, en le suppliant de ne pas décevoir sa pauvre mère, elle sait que Carol ne peut que céder. Et c'est ce qu'il fait.

Une encombrante naissance

En faisant à Zizi la promesse d'un retour imminent, il la laisse seule et prisonnière de son désespoir. Ils ne se reverront plus. Jeanne Lambrino donne naissance à Mircea Carol le 8 janvier 1920, soit un an après l'acte d'annulation du mariage par le Parlement. Le bébé grandit dans l'affection d'une mère abandonnée. Il ne verra son père qu'une seule fois, en 1925, lors d'une rencontre à Paris. Jeanne souhaite que Carol reconnaisse son fils. Il ne le fera pas. La reine Marie, petite-fille de la reine Victoria, est fidèle à la tradition des grandes alliances dynastiques. Elle marie son fils à la princesse Hélène de Grèce. De cette union de raison naît le prince Michel, dernier souverain de Roumanie. Son père abdique en sa faveur en 1925, pour finalement se réinstaller sur le trône en 1930 et abdiquer de nouveau en 1940.

Deux ans après la mort de sa mère en décembre 1955, Mircea sera autorisé par le tribunal de la Seine (Paris) à porter le nom de famille Hohenzollern, mais sans le titre de prince. Il consacrera sa vie à l'art et à la reliure, pour lesquelles il avait de grandes dispositions. La vie du roi Carol de Roumanie ne fut qu'une succession d'échecs. La faiblesse de son caractère, l'empreinte directive de sa mère et le poids des traditions royales lui fermèrent à tout jamais les portes de l'accomplissement personnel. Sans liberté de choix, nul ne peut avancer avec succès sur le chemin de son destin.

1937

Wallis Simpson
et
Édouard VIII,
roi de Grande-Bretagne

Une Américaine fait trembler Buckingham

Alice Warfield inonde de larmes les mains inertes et jointes de son défunt mari. Dans un coin de la chambre, le petit bébé hurle si fort que les sanglots de sa mère sont à peine perceptibles. Wallis a faim. Elle est née le 19 juin 1896 à Square Cottage, un pavillon situé à Blue Ridge Summit, en Pennsylvanie, il y a tout juste cinq mois. Dès les premiers jours de sa vie, Wallis aura compris qu'il fallait lutter. Lutter pour vivre, lutter pour manger, et chasser cette pauvreté dégradante et indigne qui pourrit les premières années de son existence.

Fille unique, elle entretient des liens très profonds avec sa mère, qui sacrifie son temps et le peu d'argent qu'elle gagne à son éducation. Le second mariage d'Alice et le confort matériel qu'il procure permettent à la jeune fille de fréquenter un internat huppé, mais le beau-père meurt cinq ans plus tard. Alice et Wallis retombent dans la pauvreté. La jeune femme a la fantaisie et la gaieté de sa mère. Elle n'est pas très belle mais ne manque pas de prétendants. Sans doute persuadée que le mariage est un moyen efficace de sortir de la misère, elle trouve un compromis entre ses exigences matérielles et les élans de son cœur en épousant le séduisant lieutenant Earl Winfield Spencer. « Win » est beau, mince et bronzé, au regard « ardent et vif » dira-t-elle, mais terriblement jaloux. Souvent ivre, il peut être d'humeur changeante, violent, sadique. Une de ses habitudes favorites consistait à sortir seul le soir en laissant Wallis enfermée dans sa chambre. Il lui reproche sa coquetterie, son goût pour la danse et la conversation, ou le simple fait de se trouver en compagnie d'autre homme. Très vite, l'union tourna au désastre. Elle a vingt-six ans et décide de le quitter. Lucide et courageuse, Wallis prend la scandaleuse décision de divorcer en 1921 après cinq ans de tourments. Rejetée par sa famille, la naufragée échoue chez sa mère.

Loin d'être abattue, Wallis s'épanouit dans une nouvelle vie de plaisirs et de rencontres. Elle voyage, séjourne plus d'un an à Hong Kong, logée par de généreux amis, Katherine et Herman Rogers. À son retour, elle rencontre chez Mary Kirk un Anglais qui bouleversera sa vie. Il a un an de moins que Wallis et est en pleine procédure de divorce. Séduit par l'énergie et l'extravagance de l'Américaine, il veut l'épouser. Wallis se demande comment cet homme empesé et méticuleux, prudent et un peu ennuyeux, pourra la rendre heureuse, mais sa crainte obsédante de la misère, son désir désespéré de sécurité la poussent à sortir de la solitude. Elle erre depuis plus de dix ans avec trop de problèmes d'argent pour que la demande d'Ernest Aldrich Simpson soit rejetée. Elle écrit à sa mère : « Très chère Maman, j'ai définitivement décidé que la chose la meilleure et la plus sage que je puisse faire est d'épouser Ernest. Je l'aime beaucoup et il est si gentil : ce qui devrait me changer. » Elle accepte donc de se remarier et, en 1928, devient Mrs Simpson, un nom qui la fera entrer dans l'Histoire.

Le futur Édouard VIII a presque deux ans lorsque Wallis voit le jour. Né à Richmond Park, le 23 juin 1894, le fils aîné du roi George V et de la reine Mary ne reçoit pas moins de sept prénoms : David, Édouard, Albert, Christian, George, André, Patrick. Le petit garçon aux boucles blondes pose pour un photographe dans les bras autoritaires de son arrière-grand-mère la reine Victoria. Debout derrière la reine-impératrice, le futur Édouard VII attend la mort de sa mère, en 1901, pour enfin monter sur le trône et apporter un peu de sa fantaisie à la couronne britannique. George V est le contraire de son père. Il lui succède en 1910 et a l'austérité de son grand-père, le prince Albert. Ennuyeux et discipliné, il déteste la vie de cour et lui préfère sa vie de couple. Il est très amoureux de sa cousine germaine et épouse, la princesse Mary de Teck. Les souverains ne s'occupent absolument pas de leurs enfants. À l'image de Victoria, mère exigeante et sévère, George V est plus indulgent avec ses animaux qu'avec ses fils. Plus compréhensif avec son perroquet Charlotte qu'il ne le sera jamais avec David, il note un jour dans son journal : « Qu'arrive-t-il, je n'ai rien trouvé aujourd'hui à redire dans le comportement de notre fils. Quel changement ! » Mary est une épouse fascinée, une reine de devoir mais une bien lointaine mère. Jamais elle n'interviendra entre le roi et le prince ; jamais elle ne témoignera à son fils le peu d'affection et de compréhension que chaque enfant est en droit d'attendre.

David est instruit au cœur du palais et ne le quitte qu'à l'âge de seize ans pour entrer dans l'US Navy. À Dartmouth, il est bientôt rejoint par son petit frère Albert – qui lui succédera sur le trône –, dont les résultats catastrophiques le font presque, en comparaison, passer pour un petit génie. En fait, il n'en est rien. David n'est pas un mauvais élève mais il est immature, indiscipliné et uniquement motivé par le désir de plaire et de s'intégrer. Une épidémie de rougeole et d'oreillons s'abat sur le collège, les deux frères sont atteints. David plus qu'Albert. Par ignorance, on pense que les petits princes ne craignent rien, mais ils sont en fait en pleine puberté et les conséquences d'une telle maladie peuvent être dramatiques, entraînant stérilité passagère ou définitive et altération du comportement, tout particulièrement sur un enfant psychologiquement fragile.

144

À la cérémonie d'intronisation en tant que prince de Galles le 13 juillet 1911, David donne l'image qu'il gardera toute sa vie, celle d'un adolescent frêle. Mais parce qu'il est prince, parce qu'il sera roi, David doit faire face. Il tait sa douleur et ses chagrins, et tente de survivre. La pression paternelle est incessante : « De grâce, mon fils, fumez moins. Faites moins d'exercice, mangez plus, dormez davantage. Faute de quoi vous resterez un garçon malingre à demi développé... » David termine ses études à Oxford. Tenu écarté de la guerre en 1914, il écrit : « Je déteste vraiment mon rang de prince qui m'interdit le combat. » Proche du peuple, il incarne une volonté de changement et devient très vite une sorte de « prince charmant », le chouchou de ses sujets. Toujours élégant, mince jusqu'à l'obsession, le prince de Galles est aussi une figure emblématique de la *gentry* londonienne. Il sort beaucoup, joue au polo ou au golf. On lui prête un certain nombre de maîtresses. Il entretient toujours des relations inavouables avec des femmes plus âgées, souvent mariées et parfois divorcées.

Première rencontre

Wallis et Ernest habitent Londres depuis un peu plus de deux ans. L'Américaine a un peu de mal à s'habituer à la grisaille et au conformisme anglais. Très bonne maîtresse de maison, elle lance une nouvelle mode et accueille amis et relations chaque soir pour des apéritifs de plus en plus prisés. Ce soir-là, le premier secrétaire de l'ambassade des États-Unis doit venir dîner accompagné de sa sœur, Lady Furness. Personne en Angleterre n'ignore alors que la vicomtesse est la maîtresse du prince de Galles. Les deux femmes s'entendent bien et les Simpson sont invités un week-end chez Thelma à Melton Mowbray, sa propriété dans le Leicestershire. Le prince de Galles sera là. La première rencontre a lieu le samedi 10 janvier 1931. Dans le train qui la conduit vers son incroyable destin, Wallis apprend à faire la révérence.

Les Simpson se sentent un peu mal à l'aise dans cette société aristocratique, mais le naturel et la joie de vivre de David détendent très vite l'atmosphère. Rien de particulièrement romanesque n'émane de cette première rencontre. Wallis n'est pas assez belle pour bouleverser le prince ; ils échangent des propos mondains. Comme des millions d'Anglaises, elle le trouve séduisant et se sait chanceuse d'avoir pu le rencontrer. De retour à Londres, elle reprend la vie bourgeoise et mondaine d'une Mrs Simpson loin d'être totalement épanouie. Une nouvelle rencontre entre Wallis et Édouard aura lieu au mois de mai, à l'occasion d'un dîner organisé chez Lady Furness en l'honneur du prince de retour après un voyage en Amérique du Sud. Le prince salue chacun à son entrée. Il voit Wallis, la reconnaît : « Quel plaisir de vous revoir. Je me rappelle notre rencontre à Melton. » Dans une lettre à sa chère tante Bessie, elle avouera que cette « marque d'attention nous flatta tous les deux ».

Wallis vient de perdre sa mère et la douleur de ce décès réveille en elle de sourdes blessures. Lorsqu'elle est invitée par le prince le 10 juin pour une réception au palais de Buckingham, elle pense sans doute que sa mère aurait été fière d'elle.

Petit à petit, David devient un habitué du 5 Bryanston Court, près d'Oxford Street, la maison des Simpson. Il est attiré par la gaieté, l'originalité et l'aisance de la maîtresse de maison. C'est une femme d'action, énergique et spirituelle. Elle sait être élégante et recevoir avec perfection dans l'appartement moderne qu'elle occupe avec son mari. Comme elle l'avait toujours pressenti, Wallis s'est vite lassée de son trop gentil mari. Elle ne l'aime pas, et lui commence à se détacher de cette épouse qu'il ne comprend décidément pas.

Inexorablement, l'amitié tissée entre deux êtres spirituellement puis physiquement fusionnels se transforme en amour. Un amour fort et charnel où la femme d'expérience réveille en David un tempérament indomptable et affranchi trop longtemps contenu. Ernest part pour un voyage d'affaires aux États-Unis et Wallis passe de romanesques moments avec le prince à Biarritz. Elle se confie

147

toujours à tante Bessie : « Bientôt, le prince et moi prîmes l'habitude une fois par semaine d'abandonner les autres pour aller dîner en tête-à-tête dans un de ces bistrots dont il avait appris à aimer les spécialités au cours de séjours précédents. [...] J'aimerais croire qu'il m'aime vraiment. » En 1935, il ne peut déjà plus se passer de sa nouvelle maîtresse. Elle devient la favorite du prince et se satisfait parfaitement de ce statut confortable et clandestin. Jusqu'au jour où...

George V meurt le 17 janvier 1936 et le prince de Galles monte sur ce trône tant redouté, sous le nom d'Édouard VIII. La situation ne paraît pas pouvoir trouver d'issue acceptable. Il est en train de ceindre une couronne qui interdira à Wallis de devenir sa femme : « En même temps que résonnaient les paroles solennelles, le verbe de domination, hiératique et poli par les siècles, je me sentais envahi d'émotions contraires : il y avait l'orgueil d'être proclamé roi, empereur de cette vaste et libre communauté britannique que je connaissais bien, mais, en même temps, ces mots semblaient me dire que mes relations avec Wallis entraient dans une phase décisive. »

Il ne supporte plus de partager Wallis avec Ernest Simpson et la pousse à divorcer. En comprenant le dessein du roi, Wallis sait que sa vie est sur le point de basculer. Lucide et clairvoyante, elle commence à paniquer. Dans une de ses lettres, le prince exprime clairement le désir que « WE (Wallis et Édouard) puissent ne faire plus qu'un » et une autre fois « que Dieu bénisse WE pour toujours », mais elle essaie de se persuader que les projets du roi sont fantaisistes et irréalisables. Wallis divorcée, Édouard, avec l'aide de la presse anglaise, tente d'imposer son projet de mariage à la cour, au gouvernement et à son peuple. La crise approche.

L'amour malgré tout

Il est évidemment hors de question que le roi de Grande-Bretagne puisse épouser une Américaine deux fois divorcée de surcroît. Les pressions se font de plus en plus fortes. Édouard, avec l'entêtement d'un enfant blessé, prend alors la décision la plus scandaleuse de l'histoire d'Angleterre. Il épousera Wallis, dût-il renoncer à la couronne. Le 3 novembre 1936, l'annonce du mariage d'Édouard VIII et de Wallis Simpson fait la une de tous les journaux. Traquée, paniquée, Wallis quitte le pays en ayant clairement tenté de raisonner le roi. Elle écrit dans ses *Mémoires* : « Comme je le lui avais dit à maintes reprises, je lui répétai une fois de plus qu'en aucun cas il ne devait penser à abdiquer, que sa place était à la tête de son peuple, mais il suivait son idée et m'écoutait à peine. Nous étions arrivés au bord de la catastrophe... le trône chancelait... David ne voulait plus rien entendre. »

Le 10 décembre au matin, le roi signe son acte d'abdication et le lendemain adresse un message d'adieu à la nation : « Selon la tradition ancienne, le roi n'adresse à son peuple que des propos publics. Moi, ce soir, je vais vous parler comme à des amis, Britanniques, hommes et femmes, où que vous résidiez, au sein même ou hors de l'Empire. [...] Je ne pourrai pas continuer à porter le lourd fardeau qui constamment pèse sur moi en tant que roi, à moins d'être soutenu dans cette tâche par une vie conjugale heureuse. C'est pourquoi je suis fermement résolu à épouser la femme que j'aime, lorsqu'elle sera libre de se marier avec moi. » Abasourdi par la nouvelle, le peuple anglais ne comprend ni n'accepte la décision du roi. Son frère devient George VI et sort alors de sa paisible retraite pour monter sur le trône. Le petit Albert George, toujours bégayant, a épousé une maîtresse femme : Elisabeth qui ne pardonnera jamais à son beau-frère d'avoir bouleversé son existence, interdira formellement à tous les membres de la famille royale d'assister à ce mariage scandaleux. Et sa vie durant, la reine accablera le couple de sa glaciale indifférence et de ses incessants reproches.

Le mariage du siècle

Onze heures trente du matin viennent de sonner à la grande horloge de la bibliothèque du château de Candé, en ce 3 juin 1937, lorsque celui qui porte désormais le

150

titre de duc de Windsor s'avance. Il est vêtu d'une jaquette noire, d'un gilet clair et d'un pantalon rayé, avec un magnifique œillet blanc à la boutonnière. Seuls seize privilégiés assistent à la cérémonie du mariage qui va unir, l'ex-roi de Grande-Bretagne à une Américaine deux fois divorcée.

Wallis à son tour pénètre dans la pièce, sublime dans une robe en crêpe de soie spécialement créée pour elle par le couturier Mainbocher : « Tout ce qu'elle porte – robe, souliers, chapeau – est bleu pâle, bleu Wallis ; seules quelques fleurs au sommet de sa coiffure jettent sur elle une lueur blanche » commente un des quatre journalistes présent, Randolph Churchill, fils de Sir Winston, et correspondant officiel du quotidien anglais *The Daily Express* qui note également : « Elle ne se force pas à sourire. » À onze heures quarante-six minutes, les consentements civils échangés par le docteur Charles Mercier, maire du village voisin de Monts, font officiellement devant la loi française Wallis et Édouard, mari et femme. À l'écoute du discours, prononcé par le maire, le fils de George V semble très ému et remercie chaleureusement. Le service religieux suit immédiatement après, célébré selon le rite anglican par le pasteur Robert Anderson Jardine. Tandis que l'organiste entame la marche nuptiale du *Judas Macchabée* de Haendel, Wallis entre au bras de son témoin, Herman Rogers, dans le salon de musique qui pour l'occasion est transformé en chapelle. Deux candélabres dorés de soixante-deux bougies chacun ont été posés sur la sainte table. Deux bougies supplémentaires, en face de grands miroirs dorés, forment le fond de cet autel improvisé, au pied duquel se tient le duc en compagnie du major Edward Dudley Metcalfe, son garçon d'honneur. Au moment de la bénédiction nuptiale, l'orgue joue l'hymne *O Parfait Amour*, tenu par Marcel Dupré, un des meilleurs organistes français. Seul le « I will » du duc, prononcé d'une voix aiguë et grave, perturbe la solennité de la cérémonie. Wallis a plus de maîtrise d'elle-même. Elle répond doucement ; à peine si on l'entend. Les alliances en platine échangées devant Dieu, Wallis devient duchesse de Windsor. Puis la chorale de Bach, *O Jésus*, suivie de *La Toccata* de la *5ᵉ Symphonie pour orgue* de Widor clôture la cérémonie.

Pour cette célébration, qui entra dans l'histoire comme le mariage d'amour du siècle sans doute le plus controversé, il n'y eut ni encens, ni cœur, ni pompe d'aucune sorte, pourtant aucun des témoins n'oubliera cette cérémonie. Lady Metcafe, écrira dans son journal intime : « Il n'y avait pas plus pitoyable et plus tragique que de voir un roi d'Angleterre déchu depuis six mois, un roi qui avait été adulé, se marier ainsi et, si pathétique que ce fût, son attitude était si simple et digne et il était si convaincu d'être heureux que cela a donné une autre dimension à cette triste petite cérémonie difficile à décrire. Les larmes coulaient sur son visage quand il entra dans le salon après la cérémonie. [...] Si encore elle manifestait de temps en temps un rien de douceur, si elle prenait le bras en le regardant comme si elle l'adorait, on pourrait se prendre de sympathie pour elle, mais son attitude est tellement correcte. Elle fait l'effet d'une femme insensible à l'amour fou d'un homme plus jeune qu'elle. »

Après avoir reçu les félicitations et les vœux de bonheur de leurs invités, les nouveaux mariés gagnent la salle à manger où le repas de noces est servi, composé de deux buffets. Au centre du plus important, trône majestueusement sur sept niveaux la pièce montée, œuvre d'un excellent pâtissier de la région, Léopold Aubry. Après le repas, selon une coutume anglaise, de petites boîtes carrées en carton blanc seront garnies d'un morceau de la pièce montée. Nouées d'un ruban de soie et signées de leurs initiales, le duc et la duchesse de Windsor, les offriront en souvenir à chacun des convives. L'une d'entre elles sera mise en vente en 1998 par Mohamed Al-Fayed et adjugée quarante mille euros à un couple japonais.

À six heures trente, le couple dit adieu à ses invités et monte dans la Buick pour partir passer leur lune de miel au château de Wasserleonberg en Carinthie. Mais avant de quitter Candé, ils immortalisent à tout jamais cette journée historique en gravant dans le bois de la cheminée près de la bibliothèque du château : « Edouard et Wallis, VI-III-37. »

Une vie d'errance

Commence alors la vie facile de riches touristes errants. En exil permanent entre les États-Unis et la France, le duc et la duchesse de Windsor sont totalement exclus du destin de la Grande-Bretagne. À plusieurs reprises lors de la Seconde Guerre mondiale, Édouard insistera pour servir son pays mais, soupçonné de sympathies nazies, le duc de Windsor sera nommé gouverneur des Bahamas pour toute la durée du conflit.

À la veille de sa mort, en 1972, le duc de Windsor porte encore parfois un regard triste et mélancolique sur ces années d'exil forcé. On le voulait roi ; il ne le fut pas. Le « garçon à demi développé » a eu le courage de choisir sa vie et d'orienter sa destinée. En hommage posthume à cet extraordinaire combat, Wallis sera enterrée le 29 avril 1986 dans le mausolée royal de Frogmore. Édouard repose parmi les siens, à côté de celle qu'il n'a jamais cessé d'aimer.

1941

Lilian Baels
et
Léopold III, roi des Belges

Dans l'ombre de la reine Astrid

Comme abandonné dans son déshonneur, le portrait du roi gît dans un coin de l'arrière-boutique d'un petit commerçant bruxellois. Il a été remplacé sur le mur par celui de son père, le vaillant Albert Ier, et de son épouse, la reine Elisabeth. Léopold III vient d'annoncer par une lettre pastorale lue ce dimanche 7 décembre 1941 dans toutes les églises du royaume son mariage civil avec Mlle Lilian Baels. La réaction du peuple belge est violente. Jamais il ne voudra pardonner au roi cette union qu'il reçoit comme une trahison, le symbole criard d'un bonheur égoïste au cœur même des tourmentes de la guerre.

Envahi par les SS, le château de Laeken, aux environs de Bruxelles, cache l'humeur dépressive d'un souverain prisonnier. Après la capitulation de son armée en mai 1940 et le départ de son gouvernement pour la France, Léopold III décide de rester en Belgique plutôt

157

que de le suivre. « Partir en ce moment serait déserter. Mon devoir est de rester », affirme le souverain, sourd aux critiques de l'opinion internationale. En refusant d'abandonner son peuple et en cohabitant avec l'occupant, le roi veut surtout partager le sort des milliers de Belges meurtris par la défaite. En demeurant parmi les siens, Léopold III conserve l'immense amitié d'un peuple encore sous le charme de la belle Astrid, « princesse des neiges » et reine éphémère qui, en offrant son amour au roi, lui a acquis une popularité sans limites.

À Stockholm, le 4 novembre 1926, Léopold III, alors prince héritier, épouse la radieuse princesse Astrid de Suède, descendante des Bernadotte dont les charmes évidents emportent le cœur des Belges. Elle est jeune, belle et accessible. Le pays tombe amoureux de sa jeune princesse, réservée et simple, à la fois chaleureuse et hiératique. Astrid est une épouse attentive, une mère tendre et rassurante. Elle allaite ses enfants et s'en occupe sans les gâter. Après Joséphine-Charlotte, naissent deux petits princes aux caractères très différents. Baudouin, l'héritier, et Albert, qui n'aura pas le temps de connaître sa merveilleuse maman. En 1934, la mort accidentelle du bien-aimé Albert Ier choque le pays. Léopold III monte sur le trône. Sereine, la Belgique confie son destin aux nouveaux souverains, symboles de bonheur et de stabilité. La crise qui se prépare sera menaçante pour la monarchie, humiliante et blessante pour le roi. Elle entre dans les livres comme l'un des chapitres les plus sombres de l'histoire de la monarchie.

Au cœur de l'été 1935, Léopold et Astrid ont décidé d'achever leurs vacances par un périple de jeunes amoureux. Les enfants sont rentrés à Bruxelles et le couple chemine en voiture le long du lac des Quatre-Cantons. Sur ses genoux, Astrid a déployé une carte de la région. Comme à son habitude, le roi est au volant. Le chauffeur est installé à l'arrière, coincé entre les valises. Léopold jette un coup d'œil furtif à la carte routière. Le véhicule fait une embardée, traverse des champs, heurte un arbre et s'arrête dans les roseaux. Éjectée de la voiture, Astrid meurt sur le coup. La Belgique en deuil pleure sa reine de légende et pose un regard angoissé sur une famille royale au bonheur détruit. Inquiète pour la santé psychique de son fils, la reine Elisabeth, elle aussi prisonnière des Allemands, fait venir à Laeken une jeune fille que le roi connaît déjà. Lilian Baels est née à Londres le 28 novembre 1916. Surnommée la « môme crevette » en raison de ses ascendants pêcheurs, Lilian est brillante et ambitieuse. Son père, Henri Baels, est un homme avide d'honneurs. Alors gouverneur de la Flandre occidentale, le père de Lilian fuit devant l'occupant. Installé à Anglet, il apprend, humilié, sa révocation et la perte de son salaire.

Le roi connaît bien Henri Baels. Il a rencontré Lilian à plusieurs reprises en visite officielle ou sur les greens du golf de Lekkerbek. Ils font de longues parties ensemble et le roi tombe sous le charme de sa partenaire. Lilian est terriblement belle. Sa beauté n'a pas la douceur de la regrettée Astrid. Lilian a un charme ravageur. Grande, brune au teint mat et aux lèvres généreuses, elle a une allure folle. Convoitée par les plus brillants jeunes hommes de la bourgeoisie ou de la noblesse, elle tombe follement amoureuse d'un comte hongrois. Malgré l'intervention de Léopold III, Lilian ne peut épouser Peter Drascovich, la législation hongroise interdisant à l'héritier d'un majorat (ensemble de biens immobiliers liés à la possession d'un titre de noblesse) d'épouser une bourgeoise.

Lorsque, au printemps 1940, Lilian pose ses valises dans l'une des chambres du château de Laeken, Léopold III semble enfin retrouver une certaine envie de vivre. Lilian apporte un peu de joie et de bonheur à la famille royale enfermée depuis trop longtemps dans son deuil. Les enfants adoptent sans retenue leur nouvelle « maman ». Élevés par des nourrices affectueuses mais respectueuses, les enfants regardent Lilian comme on regarde une fée. Elle est si belle et si gentille qu'ils s'abandonnent volontiers à ses bras protecteurs. Tout naturellement, la nouvelle « maman » des petits princes va devenir l'épouse du roi.

Un nouveau mariage pour le roi

Malgré les circonstances et devant l'insistance du cardinal Joseph-Ernest Van Roey et de sa mère, le roi prend la décision d'épouser sa maîtresse. Le mariage religieux a lieu derrière les larges murs de la chapelle du château de Laeken. Personne n'est mis au courant. Pas même le colonel nazi Kiewitz qui vit dans le palais. Le 11 septembre 1941, Lilian Baels devient religieusement l'épouse du roi et princesse de Réthy. La reine mère Elisabeth et les enfants se réjouissent pour le souverain, mais le peuple n'est pas autorisé à partager la nouvelle de ces secondes noces.

Lilian est très vite enceinte de Léopold III, et il devient impératif d'organiser le mariage civil. C'est la veille de l'officialisation et trois longs mois après la cérémonie religieuse que le peuple belge apprend par la voix de l'archevêque de Malines le remariage du souverain. « Nous sommes autorisés à ajouter que ce mariage intéresse uniquement la vie privée et familiale du roi, et ne produira aucun effet de droit public. Un acte authentique du souverain établit que l'épouse royale renonce au titre et au rang de reine, condition qu'elle a mise elle-même à son mariage. » Le choc est terrible. En guise de félicitations, Léopold III reçoit un bouquet de fleurs de Hitler et l'incompréhension haineuse de tous ses sujets. Le peuple se sent tout simplement trahi. Il pensait le

161

souverain inconsolable et entièrement préoccupé par le sort de son pays. Il découvre un roi heureux et amoureux qui n'a pas hésité à remplacer la mythique Astrid par une simple roturière intrigante et provocante qui prend le titre de princesse de Réthy, pseudonyme utilisé par la reine défunte lorsqu'elle voyageait incognito. Celle qu'on appelle « l'ange noir de Laeken », « l'intruse », est violemment critiquée. Le malentendu s'installe entre le roi et son pays.

À Laeken, la famille s'agrandit. Alexandre naît le 19 juillet 1942 (puis viendront Marie-Christine en 1951 et Marie-Esmeralda en 1956). Le 7 juin 1944, lendemain du débarquement allié en Normandie, les Allemands emmènent avec eux le roi prisonnier. Quelques jours plus tard, toute la famille royale, exceptés la reine Elisabeth et le prince Charles, est emmenée vers la forteresse de Hirschstein au bord de l'Elbe où se trouve déjà le roi. Ils y resteront emprisonnés jusqu'au 7 mars 1945. À la Libération, le frère du roi, le prince Charles, devient régent du royaume du 20 septembre 1944 au 20 juillet 1950. Le nouveau gouvernement réclame l'abdication du souverain. Soucieux d'apaisement, Léopold III renonce à rentrer dans son pays et installe sa famille en Suisse près de Prégny. En Belgique, Lilian fait toujours les frais de vives critiques. On lui reproche son élégance voyante et son manque de tact. Et pourtant les enfants ne cessent de défendre leur « maman ». Le prince Baudouin, interrogé sur son avenir conjugal, n'hésite pas à répondre aux journalistes : «Je me marierai quand j'aurai trouvé une femme aussi belle que Maman. »

Un retour difficile

Pendant cinq ans, le pays se divise sur la « question royale ». Léopoldistes et anti-léopoldistes s'opposent jusqu'à la consultation de 1950 qui permet au roi de revenir, plébiscité par 57 % des Belges. Le 22 juillet, le roi et sa famille rentrent enfin dans leur pays. L'accueil est plutôt froid. Face à la menace d'une marche sur Bruxelles, le souverain se résout enfin à abdiquer. Le 16 juillet 1951, Léopold III s'efface et Baudouin, enfant fragile et blessé, devient, à vingt ans, le nouveau roi des Belges.

Désormais, l'ex-roi, sillonne le monde, à la découverte de nouveaux horizons. Entre 1952 et 1983, il organise une trentaine de périples, dont plusieurs véritables expéditions scientifiques et photographiques à travers les continents américain, asiatique et africain. Il livre ses impressions dans des carnets de voyage qui seront publiés en 2004. La princesse le seconde dans ses activités et partage avec lui la passion du golf et de la chasse. En 1958, elle fonde une association portant son nom qui soigne dans le monde entier les malades du cœur.

Le 25 septembre 1983, Léopold III s'éteint après plus de quarante années de bonheur avec la princesse Lilian. Dans l'église Saint-Jacques-sur-Coudenberg de Bruxelles, la princesse de Réthy voilée de noire pleure « le roi malheureux » qu'elle a, bien malgré elle, contribué à rendre injustement impopulaire. Pour perpétuer son souvenir et défendre sa mémoire, elle crée une fondation portant le nom du roi. En juin 1989, elle reçoit la médaille d'or de la prestigieuse fondation Giovanni Lorenzini pour la recherche en science biologique. La princesse fait également publier les mémoires posthumes de son époux intitulés *Pour l'Histoire*.

Lilian de Réthy vit dès lors retirée du monde dans son domaine d'Argenteuil près de Bruxelles ; discrète et réservée, elle protège jalousement le souvenir de son défunt mari.

Le 7 juin 2002, elle meurt après avoir vécu un destin exceptionnel, bercée d'amour et entourée d'élégance. Ses funérailles ont eu lieu en l'église Notre-Dame de Laeken en présence de toute la famille royale Belge et Luxembourgeoise. Seule sa fille aînée, la princesse Marie-Christine n'y assiste pas. La princesse Lilian repose dans la crypte royale de Notre-Dame de Laeken aux côtés du roi Léopold III et de la reine Astrid.

1944

Yvette Labrousse
et
l'Aga Khan III

La reine de beauté et le dieu vivant

Son royaume fut celui de la foi. Son amour, exclusif et éternel. L'histoire de la bégum, quatrième et dernière épouse de l'Aga Khan III, est sans doute l'illustration la plus parfaite d'un conte de fées. Un jour de juillet, la « mère de la paix » a rejoint son époux dans le tombeau où il reposait depuis quatre décennies. Le soleil, doré et protecteur, enrobait la vallée du Nil de ses doux rayons. Silencieusement, la porte du mausolée se referme sur la plus belle histoire d'amour du siècle passé. Rien n'aurait pu estomper la magie des instants partagés. Pas même le temps, pas même la mort. Rien n'aurait pu empêcher leur rencontre. Ils étaient faits l'un pour l'autre ; ils se sont croisés un soir au Caire, alors qu'elle visitait l'Égypte avec ses parents.

Installé à Cressé, où il est né, Adrien Labrousse a un rêve. Il veut devenir conducteur de tramway. Sa femme, couturière de son état, encourage ses projets et le couple s'installe à Sète puis à Cannes, où Marie habille les élégantes de la Côte d'Azur. Soucieuse de l'avenir de la « petite » Yvette Blanche, née le 15 février 1906, Marie ouvre un atelier à Lyon. Yvette a les mêmes talents que sa maman et une personnalité effacée, car elle se trouve trop grande, ce qui la complexe. Lorsqu'elle décide enfin de concourir pour le titre de Miss Lyon, elle ne se doute pas encore que sa vie va basculer. Élue Miss France en 1930, elle rate de peu le titre de Miss Monde à Rio de Janeiro. Sa beauté, grave et solennelle, ses traits aristocratiques et sa haute taille illuminent ses rencontres, inspirent peintres et photographes.

En 1938, Adrien et Marie emmènent Yvette sur les bords du Nil. La jolie méridionale rêve de goûter une dernière fois au luxe passé. Des relations nouées au cours de son règne, la Miss garde encore quelques fidèles. Invitée à une soirée, elle apparaît, seule, et impose sa beauté. L'Aga Khan III croise son regard noir et se renseigne sur l'identité de l'inconnue. En quelques secondes, Yvette Labrousse bouleverse le « dieu vivant ». Le descendant direct du prophète Ismaël est l'un des hommes les plus riches et les plus puissants du monde. La bergère a trouvé son prince des *Mille et Une Nuits*. La guerre est sur le point d'éclater, l'Aga Khan n'est pas encore divorcé de sa troisième épouse et il a vingt-neuf ans de plus que la jeune Française. Malgré cela, à la veille de son soixante-huitième anniversaire, l'Aga Khan épouse Yvette Labrousse le 9 octobre 1944 à Vevey, en Suisse.

L'Aga Khan III est à l'automne d'une vie d'exception. Devenu imam de la branche ismaélienne de la secte chiite à l'âge de huit ans, il fait son premier voyage en Europe en 1898. Sur la Riviera, il côtoie la reine Victoria ou l'empereur François-Joseph, et avoue qu'il ne connaît « aucun instant d'ennui ». Le prince a plusieurs visages. Chef spirituel et homme politique, l'Aga Khan est aussi un grand mondain. Aujourd'hui, il aurait fait partie de la jet-set, ce qu'on appelait hier la *café society*... Passionné par les chevaux, il fréquente tous les champs de courses du monde. Il reçoit un jour à Ascot l'insigne de membre de la maison royale et confiera à la fin de sa vie : « Je le conserve depuis plus de cinquante ans. Il me fut donné par la reine Victoria et renouvelé successivement par Édouard VII, George V, George VI et la reine Elisabeth II. »

Les célèbres couleurs de l'Aga Khan, casaque émeraude, poignets chocolat et toque lilas, remportent les plus belles courses d'Ascot ou de Chantilly. Mais l'homme n'est pas qu'un turfiste de talent.

Depuis sa plus tendre jeunesse, le petit myope travaille dur pour se rendre digne de son rang. Il acquiert, au fil du temps, d'incontestables qualités de chef. Il veille sur plus de quatre-vingts millions de fidèles dispersés dans le monde, lit le Coran tous les jours et parcourt le monde musulman sept mois de l'année à la rencontre des Ismaéliens. Pour les croyants, apercevoir l'Aga Khan est un passeport pour le paradis d'Allah, presque l'équivalent d'un pèlerinage à La Mecque. Adoré, idolâtré, il reçoit régulièrement son poids en or et en pierres précieuses.

Amoureux et mariés, l'Aga Khan et Yaki (doux surnom formé pour la belle à partir de leurs initiales) quittent la Suisse pour un grand voyage. Avec plus de six tonnes de bagages, ils rejoignent Bombay pour y fêter le jubilé de diamant de l'Aga Khan. Attendue par toute la communauté ismaélienne, la nouvelle bégum convertie à l'islam, apparaît vêtue d'un sari somptueux, brodé de plus de trois cents diamants. Dans le stade de Braborne, plus habitué à recevoir des équipes de cricket, les fidèles offrent à leur chef son poids en diamants. L'Aga Khan n'est pas chétif : six cent quarante mille pierres sont nécessaires à l'élévation du quarante-huitième imam, qui pèse alors plus de cent kilos... Le couple repart pour l'Afrique et passe à Nairobi, à Madagascar ou à Dar es-Salaam.

Il n'y a pas un jour, pas une nuit, où, dans de somptueuses tenues, sa beauté sublimée par d'inestimables joyaux, Yvette ne fascine ceux qui la croisent. Le duc d'Édimbourg confie : « C'est la plus belle dame que j'aie rencontrée et pas seulement parce qu'elle mesure vingt centimètres de plus que tout le monde. » Un familier du couple avoue à propos de l'Aga Khan que « la bégum aura été la plus grande réussite de sa vie ».

Une vie, mille vies, nourries de luxe et de bonheur, de champagne et de fleurs. Ils fréquentent les plus grandes stars de cinéma, qu'ils invitent dans leur villa du Cannet pour le désormais traditionnel Festival de Cannes. « Yakimour », contraction de Yaki et d'amour, est le refuge du couple. Ils y passeront les plus douces heures de leur existence.

La bégum peint, sculpte et photographie ses proches. Elle s'est toujours bien entendue avec les enfants de l'Aga Khan. Grand-père affectueux, il a une tendresse toute particulière pour Yasmina, la fille que son fils Ali a eue de son mariage avec Rita Hayworth.

Yvette devient « Mata Salamat »

Serein, aimé, le vieil Aga Khan rédige ses *Mémoires* et écrit à propos de Yaki : « Par la grâce de Dieu, j'ai eu le privilège d'avoir une femme qui comprenne pleinement mes joies et mes peines, morales et spirituelles. Notre mariage eut lieu à un moment de ma vie où j'avais le plus grand besoin de sympathie et de compréhension. Au cours des graves maladies de ces dernières années, ma femme m'a prodigué ses soins et sa tendresse. Elle a été pour moi un précieux réconfort et un constant soutien. Il m'a enfin été donné d'atteindre avec elle à ce havre merveilleux qu'est une totale union d'âme et d'esprit. » Lorsqu'il fait de Yaki une *Mata Salamat*, ce qui signifie « mère de paix », il lui offre un titre sacré. Il n'a été porté que par trois bégums en treize siècles. Et c'est à sa dernière épouse qu'il revient. Ensemble, ils célèbrent son jubilé de platine à Karachi, mais l'Aga Khan, inexorablement, vieillit. Et même si Yaki a su « prolonger [sa] vie de dix ans », il s'éteint le 11 juillet 1957 dans sa villa Barakat, sur les bords du lac Léman. Il allait fêter ses quatre-vingts ans. Un chroniqueur écrit : « L'un des personnages les plus puissants de la terre, l'un des hommes les plus fabuleux de notre siècle vient de disparaître. » Avant de mourir, il a désigné comme imam héréditaire son petit-fils Karim. Dans son testament, il précise que la bégum devra guider les premiers pas du nouveau chef spirituel pendant sept ans, ce qu'elle fera avec humilité et discrétion.

Fidèle au souverain

Lorsqu'elle séjourne à Assouan, la bégum se rend chaque jour sur l'île Éléphantine et dépose une rose sur la tombe de l'époux adoré. Depuis la mort de l'Aga Khan, la plus belle veuve du monde promène son incomparable silhouette dans ses appartements du Ritz, sa villa du Cannet ou son refuge égyptien. Discrète, chaleureuse et digne, elle vit dans les souvenirs de sa féerique existence en attendant, confiante, le jour béni de leurs retrouvailles. Elle attendra cet instant pendant plus de quarante ans. C'est à Yakimour que la bégum meurt à l'âge de quatre-vingt-quatorze ans, le 1er juillet 2000, mais c'est à Assouan qu'elle a rendez-vous avec son mari. Pendant leur voyage de noces, ils avaient choisi, ensemble, l'emplacement de leur dernière demeure. Ils savaient que seule la mort pourrait un jour les réunir et que ce lieu béni accueillerait leur nouvelle vie. La *Mata Salamat* a rejoint son prince. Le soleil des rives du Nil peut se coucher. Il fait toujours chaud au royaume de l'éternité.

1955

Grace Kelly
et
Rainier III, prince souverain de Monaco

L'actrice et le prince charmant

Pour Frank Sinatra, « elle était née princesse ». Elle en avait l'allure, la beauté et la noblesse. Lorsqu'elle reçoit en décembre 1954, l'oscar pour la meilleure interprétation dans *Une fille de la province*, le magazine *Time* affiche en première page un portrait de la jeune actrice et titre : « Les hommes préfèrent les dames. » Grace Kelly n'est pas qu'une star. C'est une figure mythique, un rêve évanoui. C'est une femme dont la beauté parfaite, la grâce et le maintien ont inspiré les plus beaux films et habité le cœur d'un prince, amoureux fou d'une star éblouissante dont il fit son épouse et le joyau de sa principauté.

L'évocation de Grace Kelly est forcément nostalgique. On revoit ses yeux immenses, ses cheveux tirés en chignon, ses gants blancs et la perfection de son sourire. On revoit ses films, une atmosphère, Clark Gable, James Stewart, Gary Grant, et les grandes heures du

177

cinéma hollywoodien. Cecil Beaton la décrit ainsi :
« Miss Kelly procure à chacun l'impression de lui accorder une évanescente protection et nous émeut, en même
temps, par une expression d'un pathétisme infini. Si elle
nous captive, c'est qu'elle s'adresse à nos meilleurs ins-
tincts. Tout en ayant la beauté placide d'un jeune animal, c'est une femme d'une telle dignité, d'une telle
indépendance, et la fascination qu'elle exerce est si sub-
tile que les connaisseurs la définiraient comme un objet
d'art de premier ordre. » Et Alfred Hitchcock de
conclure : « Elle peut jouer la comédie avec du sex-
appeal mais aussi avec élégance. Elle a tant de dignité
dans son comportement qu'il est possible de lui faire
jouer des scènes d'un caractère osé, qui serait affreuse-
ment vulgaire si elles étaient jouées par une autre. » En
1955, Grace Kelly est déjà une vedette internationale. Elle
a brillé dans *Le train sifflera trois fois, Mogambo, Fenêtre
sur cour* et *Le crime était presque parfait*. Elle est, cette
année-là, l'invitée d'honneur du Festival de Cannes.

Rencontre avec son destin

À son arrivée au Carlton, Pierre Galante, grand reporter à *Paris Match* et mari d'Olivia de Havilland,
demande à l'actrice si elle consentirait à faire une séance
de photos dans le palais des Grimaldi. Le prince de

Monaco a accepté d'être son guide. Tout est organisé à la dernière minute, mais l'actrice se prend au jeu. Ce jour-là, malheureusement, la ville est privée d'électricité et la star ne peut pas faire repasser une robe en taffetas fleuri ni même se sécher les cheveux. Elle s'engouffre dans une voiture qui est emboutie sur le chemin par celle des reporters de *Paris Match*... Quand elle arrive au palais, le prince Rainier n'est pas au rendez-vous. Elle attend, se repoudre le nez, contemple le portrait de Marie Leszczyńska et s'apprête à partir, agacée, lorsqu'il arrive enfin de sa villa de Saint-Jean-Cap-Ferrat. Ensemble, ils visitent les jardins du palais et le zoo privé du prince qui lui présente ses nouveaux fauves, deux tigres de Sumatra qu'il vient de recevoir. Rainier est timide ; Grace est une jeune femme bien élevée, humble, réservée et respectueuse. La rencontre reste formelle.

La star repart et Rainier de Monaco sait déjà qu'il a trouvé la femme idéale telle qu'il la décrivait avant cette rencontre dans une interview au magazine *Collier's* : « Je préférerais une jeune fille aux cheveux blonds et au teint clair, gracieuse, féminine, à la nature douce et aimable. Je veux une femme plutôt qu'une princesse. On peut apprendre à devenir princesse [...]. »

En décembre, le prince se rend au Havre et embarque sur un transatlantique en direction de New York. Il retrouve Grace chez des amis communs. L'un et l'autre ont un peu perdu de leur timidité et rient volontiers de leur première entrevue ; la belle Américaine accepte d'épouser Rainier. Les fiançailles ont lieu à Philadelphie. Annoncée officiellement le 5 janvier 1956, la nouvelle ne soulève pas l'enthousiasme. La bague offerte par Rainier, un magnifique solitaire en diamant, taille émeraude de 10,47 carats, signée Cartier, est surnommée « To Catch a Prince » (pour attraper un prince), en référence au film d'Alfred Hitchcock, sorti l'année précédente *To Catch a Thief* (*La Main au collet*). Les Américains sont furieux à l'idée de perdre leur « reine » pour un pays dont ils ne savent même pas situer le royaume... Les Monégasques connaissent bien la star de cinéma mais s'étonnent que le prince soit allé chercher une épouse si loin... La presse, qui trouve le conte de fées un peu grossier, ironise volontiers. Le *Chicago Tribune* écrit : « C'est une fille trop distinguée pour épouser l'associé d'une maison de jeu... » Mais qu'importe, le prince est heureux, il écrit à sa chère fiancée en avril 1956 sur une carte de correspondance bleue surmontée de son double monogramme : « Ma chérie, cette lettre pour te dire à quel point je t'aime et comme je suis terriblement fou de toi. Tu me manques, j'ai besoin de toi et j'aimerais tant t'avoir auprès de moi. Bonnes vacances mon amour. Détends-toi et pense à moi. J'essaye de me faire à cette terrible attente sans toi ! Je t'aime tant. Rainier. »

La presse reste cependant consciente des répercussions de la romance, et des centaines de journalistes accompagnent l'enfant du pays pour son départ vers la lointaine Europe. Rainier attend à Monaco. Il fait les cent pas sur le pont de son yacht de trois cent quarante tonnes, le *Deo Juvante* (« Avec l'aide de Dieu », devise de Monaco). L'événement est l'un des plus médiatiques de son temps, mille huit cents reporters – plus que pour le couronnement d'Elisabeth – bombardent de flashs et de questions le couple royal. L'Américaine est accueillie par une pluie d'œillets rouges et blancs – couleurs de la principauté –, jetés par brassées de l'avion d'Aristote Onassis, et sous les acclamations et les vivats de plus de quarante mille spectateurs venus rendre hommage à cette nouvelle souveraine. Elle se confie : « Je voudrais dire à mes futurs concitoyens que le Prince, mon fiancé, m'a appris à les aimer. Je les connais déjà bien par les descriptions qu'il m'a faites, et mon désir le plus cher aujourd'hui c'est de trouver une petite place dans leurs cœurs. »

Sous les projecteurs

Le mariage civil est célébré, selon la tradition, avant la cérémonie religieuse. Cette formalité se déroule dans la salle du trône du palais princier, le 18 avril 1956, dans la plus stricte intimité. Les mariés échangent rapidement leur consentement, mais le plus long de la solennité réside dans la lecture des titres portés par le prince souverain Rainier III – cent quarante-deux au total, alors que Grace recevra de son mari cent trente-quatre titres, devenant ainsi Son Altesse Sérénissime, la princesse Grace Patricia de Monaco, duchesse de Valentinois, marquise des Baux, comtesse de Carladès, baronne du Buis, comtesse de Ferrette, de Belfort, de Thann, de Rosemont, etc.

Le lendemain, dès 9 h 20, les noces féeriques débutent en la cathédrale Saint-Nicolas de Monaco. Le souvenir de Grace dans sa robe de rêve offerte par la MGM, pour une valeur de huit mille dollars, est l'œuvre d'Hélène Rose. Le mélange éblouissant de tulle, de taffetas de soie et de trois cents mètres de dentelles de Valenciennes reste magique. Durant la cérémonie du mariage, se mêlant à la foule, on y reconnaît Ava Gardner, l'ex-roi Farouk d'Égypte en grande tenue d'apparat, Jean Cocteau, Serge Lifar, Gloria Swanson, Marcel Pagnol, Somerset Maugham, Aristote Onassis, l'Aga Khan et sa femme, ancienne Miss France, François Mitterrand alors garde des Sceaux représente le Président René Coty, tandis que Monseigneur Marella est l'envoyé du pape Pie XII.

La star devient princesse et la métamorphose est aussi immédiate qu'instinctive. Elsa Maxwell, dans son livre *The Celebrity Circus*, écrit avec justesse : « Grace fit tout de suite preuve d'une aptitude naturelle à se conduire comme une princesse, d'un sens de l'appartenance aux cercles les plus élevés à mon avis rare chez les gens parvenus de façon si soudaine à une telle position. » Les cadeaux de mariage offerts au couple seront aussi somptueux qu'originaux, comme celui du roi du Maroc, un couple de lions provenant de son zoo privé. Les amis de Grace choisirent eux un projecteur de film avec un écran géant, pour permettre à la nouvelle princesse de continuer à suivre l'actualité d'Hollywood. Mais le cadeau le plus inhabituel fut sans doute celui de son ancien producteur, Alfred Hitchcock, regrettant déjà l'héroïne avec qui il a si souvent travaillé, en lui offrant un rideau de douche, allusion à la célèbre scène de meurtre dans le film *Psychose*. Néanmoins, la signification précise de ce présent ne fut jamais révélée.

En abandonnant sa carrière cinématographique pour se consacrer à son nouveau destin, l'actrice fait preuve d'une aisance et d'une maîtrise qui donne raison à Sinatra. Grace Kelly est la première d'une nouvelle génération de princesses. Elle symbolise la femme idéale, amoureuse et mère, affectueuse et hiératique, une souveraine des temps modernes qui sait jouer de sa position et de son image avec l'aisance d'une professionnelle, américaine de surcroît. Les résultats de sa campagne de séduction sont immédiats et impressionnants. Elle attire à Monaco tous les grands de son temps et rend au Rocher éclat et prestige. Monte-Carlo redevient un lieu incontournable.

« L'ère Grace » voit défiler Sophia Loren, Elisabeth Taylor, Richard Burton, la bégum Aga Khan, le comte de Barcelone, le shah d'Iran ou Winston Churchill. Le couple princier navigue en yacht avec Maria Callas et Aristote Onassis ; ils organisent des bals aussi recherchés que magiques pour lesquels ils aiment se parer de costumes extravagants et somptueux. On ne se rend plus à Monaco mais à « Grace's Place » pour côtoyer cette princesse fascinante dont l'aura exceptionnelle charme les plus grands. Le général de Gaulle repart ébloui de sa rencontre avec Grace et en oublie même le différend qui l'oppose au prince de Monaco.

Le pape Jean XXIII lui murmure un jour affectueusement : « Vous êtes la plus belle de mes filles… » Grace subjugue par sa beauté d'abord, mais aussi par son intelligence et son sens du contact. « Dans mon métier, avoue le prince Rainier, Grace m'a été précieuse. Dès les débuts de notre mariage, j'ai admiré sa manière d'analyser les gens : l'intuition d'une femme est beaucoup plus aiguë que celle d'un homme. »

Un jour de février 1966, la princesse Grace confie : « J'ai eu dans ma vie des moments heureux. Mais je ne pense pas que le bonheur soit un état permanent pour quiconque. La vie n'est pas ainsi faite. » Épouse et mère comblée, Grace a déjà connu la douleur de perdre son père, qu'elle admirait tant. Elle s'occupe beaucoup de ses enfants et leur fait partager le goût des exploits sportifs qu'elle a reçu de la famille Kelly. Les Grimaldi offrent pendant plus de vingt ans l'image d'une famille exemplaire nourrie par l'amour exceptionnel que Rainier et Grace partagent depuis le premier jour. On croyait la romance éternelle ; elle s'éteint violemment un matin de septembre sur les hauteurs parfumées de Monaco.

Un rêve brisé

Rien ne peut empêcher la déesse de prendre le volant ce matin-là. Elle déteste conduire mais veut partager avec Stéphanie quelques instants de tranquillité. Grace installe sa fille cadette dans la Rover 500 et prend place à ses côtés. La route est dangereuse mais la princesse la connaît bien. Juste après le village de La Turbie, la voiture zigzague, fait des tonneaux et disparaît en contrebas. Stéphanie, choquée mais légèrement blessée, aperçoit sa mère inerte.

Transportée à l'hôpital, la star devenue princesse meurt le lendemain, dans la nuit du 14 septembre 1982.

Pour rendre un dernier hommage à l'étoile du Rocher, le roi Baudouin et la reine Fabiola, l'impératrice Farah d'Iran, l'Aga Khan, la princesse de Galles se rendent aux obsèques et se recueillent sur le souvenir de cette femme d'exception. Le prince Rainier est brisé, les enfants traumatisés. Rien ne sera jamais plus comme avant. Sa mort tragique laisse la principauté orpheline et le monde en état de choc. On croyait Grace Kelly éternelle. On sait aujourd'hui, presque trente ans après sa disparition, combien celle qui laissait à chacun « une impression de perfection » était à la fois précieuse et irremplaçable.

Toute sa vie, le prince Rainier, restera fidèle au souvenir et à la mémoire de celle qui fut durant vingt-six ans sa tendre épouse. Personne ne put remplacer à ses yeux, cette femme exceptionnelle. Le prince bâtisseur va, jusqu'à sa mort en 2005, consacrer le plus clair de son temps au travail, à ses compatriotes et à l'expansion de cette principauté sur laquelle il aura régné durant cinquante-six ans.

1959

Farah Diba

et

Mohammad Reza, shah d'Iran

Une jeune architecte
devient impératrice d'Iran

La chaleur accablante de ce matin égyptien du 29 juillet 1980 ralentit le cortège funèbre. Dans les rues du Caire, des millions de personnes sont venues rendre hommage à l'empereur d'Iran mort sur leur terre. La mosquée Al-Rifaï sera la dernière demeure du shah. Recouvert d'une poignée de terre iranienne emportée par le souverain avant de partir en exil, le cercueil plonge dans la fraîcheur des profondeurs, laissant l'impératrice d'Iran seule et pétrifiée de douleur. La veuve du shah est traquée et condamnée à mort par les intégristes. Et pourtant, il faut bien vivre. L'impératrice a quatre enfants. Le prince héritier Reza n'est pas encore majeur et la shahbanou doit se montrer digne du titre de régente que l'empereur lui a octroyé en 1965, après une tentative d'assassinat. Et puis il y a la délicate et fragile princesse Farahnaz, son deuxième fils Ali Reza, et surtout la petite Leïla, qui n'a que dix ans. Pour

189

la deuxième fois de son existence, Farah est confrontée au décès d'un être cher. Elle n'avait que neuf ans lorsque son père est mort. On lui avait alors caché la vérité et dit qu'il était parti en voyage. Mais il n'est jamais revenu. Farah a grandi privée de l'affection d'un père ; elle devra vieillir privée de celle de son mari. Et pourtant, ils s'aimaient tant depuis plus de vingt ans...

La fille unique de Sohrab Diba et de Farideh Ghotbi naît le 14 octobre 1938. On la prénomme Farah, ce qui signifie « joie » en persan. Sa famille est aisée, monarchiste et progressiste. Lorsque le père de Farah meurt, Farideh, fidèle aux idées modernes de son défunt mari, envoie sa fille à l'école Jeanne-d'Arc, où elle passe les plus belles années de sa vie. Élève intelligente, sage, gentille et joyeuse, elle comble sœur Claire par ses exploits sportifs en tant que capitaine de l'équipe de basket-ball. Lorsqu'elle quitte l'institution pour entrer au lycée français de Téhéran, un professeur souligne le « rayonnement certain » de la jeune fille. Elle a seize ans, mesure 1,72 mètre, et décide de devenir architecte. C'est à l'automne 1957 que la jeune Iranienne s'installe dans sa petite chambre de la Cité universitaire, à Paris. Elle passe toutes ses journées à l'École d'architecture du boulevard Raspail, mais son pays et sa famille ne tardent pas à lui manquer. Elle écrit de longues lettres à sa mère qui regarde de loin sa fille grandir.

Pendant ce temps, en Iran, Mohammad Reza Pahlavi vient de se séparer de sa deuxième épouse, la princesse

Soraya. À quarante ans, le shah n'a toujours pas donné d'héritier à la couronne. Bien qu'encore amoureux, il est contraint de répudier sa jeune et belle épouse, dont la stérilité est désormais publiquement exposée. Avant Soraya, le shah a épousé en 1939 la merveilleuse Fawzia d'Égypte, sœur du roi Farouk, choisie pour le prince héritier par son père Reza shah. Dès la naissance de leur fille Shahnaz, le couple se sépare sans avoir pu apprendre à s'aimer. Après un mariage de raison, un mariage d'amour et deux échecs, l'empereur d'Iran n'a plus qu'un objectif : assurer la descendance de la dynastie Pahlavi. Les prétendantes ne manquent pas. Le shah représente l'homme idéal, le rêve secret de toutes les jeunes Iraniennes.

À Paris, Farah apprend avec tristesse le divorce de son souverain. Elle a déjà rencontré Mohammad Reza lors d'une visite officielle en France. À l'ambassade d'Iran, le shah avait tenu à rencontrer quelques étudiants iraniens. Il avait eu un mot pour chacun. Farah, émue, avait poliment répondu aux questions du monarque. Depuis, Farah est souvent l'objet de plaisanteries. Ses amis l'imaginent déjà en princesse des *Mille et Une Nuits*.

Lorsqu'en juillet 1959, Farah Diba quitte les quais de la Seine pour quelques mois de vacances à Téhéran, elle ne sait pas qu'elle ne pourra plus jamais sereinement s'y promener. Inexorablement, par la force insondable du destin, Farah avance à la rencontre de son bien-aimé.

Elle veut obtenir une bourse de l'État iranien pour financer ses études en France et présente sa requête au ministre Ardeshir Zahedi, qui n'est autre que le gendre du shah. Séduit par la jeune fille, celui-ci organise une rencontre entre Farah et la fille de Mohammad Reza. Au cours de l'entretien, le shah entre dans la pièce et ressort séduit par le naturel et la simplicité de la jeune femme. Pour Farah, c'est le coup de foudre.

L'empereur fait sa cour et la jeune fille se prend à rêver. Avec la bénédiction de la terrible reine mère, Tadj el-Molouk, Farah et le shah peuvent désormais penser aux fiançailles. En cadeau, l'empereur offre à sa fiancée un splendide solitaire carré de plus de quinze carats et un voyage en France avec un budget illimité pour se constituer le trousseau d'une reine. La nouvelle n'est pas officielle mais, à Paris, Farah Diba est accueillie par une meute de photographes. Transformée par les sœurs Carita, la jeune étudiante passe de boutique en boutique et achète chapeaux, tailleurs, manteaux, robes, chaussures, un manteau de cour et sa robe de mariée imaginée par le jeune styliste de la maison Dior, Yves Saint Laurent.

Le mariage a lieu le 29 azar 1338, selon le calendrier solaire iranien, ou le 21 décembre 1959, selon le calendrier chrétien. La toilette de la mariée dure trois heures. Farah porte un diadème de plus de deux kilos, commandé au joaillier Harry Winston et dont le centre est constitué du « Noor al-Ayn » (Lumière de l'œil), un diamant de soixante-cinq carats. Elle est parée d'une triple rivière de diamants et d'une paire de pendants d'oreilles, le tout d'une valeur de cent millions de francs (quinze mille deux cent cinquante euros). L'ensemble de ces bijoux fait partie du trésor de la couronne qui appartient à l'État. La cérémonie se déroule dans la salle du Trône du palais de Marbre. Vingt et un coups de canon annoncent l'heureuse union aux habitants de Téhéran. Après un bal qui réunit plus de cinq cents personnes, l'empereur emmène sa jeune épouse sur les bords de la mer Caspienne.

Malgré les propos doux et rassurants de son mari, Farah sent peser sur elle toute l'espérance du peuple iranien, et lorsque la jeune femme annonce qu'elle est enceinte, sa grossesse devient une affaire d'État. Dix mois après son mariage, le 31 octobre 1960, un petit prince naît dans une maternité au sud de Téhéran. Il s'appelle Reza. Farah a donné un héritier au shah ; elle a rempli sa mission, devient shahbanou et se révèle une souveraine de talent. Commencent alors les années de splendeur.

La famille impériale s'agrandit. Le roi des rois mène une politique progressiste et entame une série de réformes appelée « révolution blanche » qui sonne le glas des féodaux et donne le droit de vote et l'égalité aux femmes. Mais en mécontentant le clergé, le shah s'expose à l'insurrection des mollahs. Cependant, les troubles s'apaisent et Mohammad Reza shah décide de programmer son sacre et celui de Farah lors de son quarante-huitième anniversaire, le 26 octobre 1967. La cérémonie doit marquer l'apothéose de son règne, les préparatifs durent deux ans. Sur le parcours du cortège, toutes les façades ont été ravalées. Des avions de l'armée répandent sur la ville des milliers de bouquets de roses, de jasmin et de narcisses. Sa Majesté le shah s'assied sur le trône du paon serti de vingt-six mille pierres précieuses. Farah s'agenouille. Le monarque pose sur sa tête une couronne dont l'émeraude centrale a la grosseur d'un abricot. Elle devient la première impératrice d'Iran couronnée.

Plus jamais l'Iran ne connaîtra d'aussi riches heures sauf, peut-être, en 1971, pour les fêtes de Persépolis. L'empereur a décidé de célébrer l'anniversaire de la fondation de l'Empire persan par Cyrus le Grand sur les ruines du palais de Persépolis, en plein désert. Farah orchestre l'organisation de cette incroyable fête dont le luxe doit éblouir les plus grands de ce monde et participer au rayonnement du pays. Sans le savoir, le shah et Farah vivent leurs derniers instants de gloire et de bonheur. Bientôt le rêve du souverain se brise et son royaume se décompose peu à peu.

À la tête du mouvement révolutionnaire, un vieil ennemi du shah, l'ayatollah Khomeyni. Très vite, d'Irak puis de France, celui-ci organise la chute de la monarchie en s'appuyant sur l'ensemble des mouvements de gauche, du Front national de Mossadegh et du clergé, avec la bénédiction de certains intérêts étrangers. Les enfants du shah sont partis se réfugier aux États-Unis. Farah ne veut pas fuir. Le couple impérial vit isolé et reclus dans le palais de Niavaran. Depuis déjà plusieurs mois, personne ne le sait mais le souverain est malade. Souffrant et impuissant, le shah vit les derniers jours du règne des Pahlavi. Le couple décide finalement de partir.

Dans l'avion qui les arrachera au sol iranien en ce matin du 16 janvier 1979, l'empereur se tourne vers Farah qui raconte : « Au bout d'un moment, il m'a regardée avec un sourire plein de tendresse, comme s'il contemplait une enfant. Il avait compris que tout était fini. » Rongé par un cancer, rejeté du Maroc aux Bahamas, du Mexique à Panama, lâché par les États-Unis, l'empereur finit par s'installer en Égypte. Le président Sadate est le seul qui ait offert l'hospitalité à ce souverain déchu, à cet homme malade qui, loin de son pays, abandonné de tous, se bat contre la mort. Devant le cercueil de l'empereur, Farah garde la dignité d'une impératrice, le maintien d'une épouse et l'attention d'une mère exemplaire. Après tant de bonheur et d'honneurs, après tant d'amour et tant de dévouement, en quelques mois d'une violente agonie, la shahbanou voit disparaître son mari et sombrer son pays. Trente-deux ans plus tard, l'impératrice d'Iran ressent encore violemment la douleur indicible de cette mort trop cruelle et de cet inique exil.

Depuis lors, vivant entre New York et Paris, l'impératrice continue sa tâche chaque jour, maintenant les valeurs et les traditions chères à son défunt mari. Elle s'occupe sans relâche des Iraniens exilés de par le monde. Une douleur va de nouveau meurtrir le cœur de cette femme courageuse et digne : la disparition tragique de sa fille cadette Leïla, le 10 juin 2001. L'impératrice tente de surmonter cette nouvelle épreuve avec la dignité des femmes d'exception. Dans ses mémoires publiés en 2003, elle confiera, cette disparition « m'a à nouveau précipitée dans un désespoir sans fond, inconsolable [...] Non, on ne se remet pas de la mort d'un enfant, et depuis ce 10 juin 2001, je pleure silencieusement ma petite Leïla. Moi qui ai le pouvoir, en quelques mots, de réconforter un vieux général, de donner l'espoir à de jeunes Iraniens déracinés, moi qui suis capable, me dit-on, d'aider une communauté chassée de sa terre, je n'ai pas réussi à aider ma propre fille. Cette impuissance me tourmente chaque jour [...]. » Mais la pauvre impératrice sera une fois encore impuissante aux souffrances d'un autre de ses enfants, le prince Ali Reza qui, le 4 janvier 2011, met fin à ses jours. Lors de ses funérailles à Strathmore dans le Maryland, la shahbanou est debout face à la foule venue assister à l'événement, la main croisée sur le cœur, avec sobriété et émotion elle

évoque le souvenir de son cher enfant tragiquement disparu. C'est une nouvelle leçon de courage, Farah résiste
à ce destin parfois si terrible. Comme elle l'a toujours
fait, en pensant certainement à la dernière phrase de ses
mémoires : « Je sais que demain, la lumière vaincra les
ténèbres et que l'Iran renaîtra de ses cendres. »

1968

Sonja Haraldsen
et
Harald, prince héritier de Norvège

L'amour triomphe à la cour de Norvège

Dès le début de son règne, le jeune roi de Norvège s'inscrit dans la continuité de son père : « Je porte désormais le nom d'Olaf V et garde la même devise que celle qu'avait choisie mon père : "Tout pour la Norvège !" » Olaf perpétue donc cette monarchie discrète en se rendant tous les vendredis au conseil des ministres, accompagné de son fils, Harald, en ouvrant le Parlement ou encore en représentant son pays lors de nombreux voyages officiels. En dehors de ces obligations, il mène une vie calme au palais royal d'Oslo : il se lève très tôt, prend son petit-déjeuner après une promenade dans les jardins du palais, lit la presse dans son bureau, puis donne des audiences. Un déjeuner léger, parfois en compagnie de ses plus proches collaborateurs, une sieste et, enfin, un agréable moment de lecture dans la bibliothèque conclut son après-midi. Le roi aime passer ses soirées en famille, plus proche du charme discret de la bourgeoisie que du faste des grandes cours royales, il s'est néanmoins opposé aux amours roturières de ses trois enfants.

Sa fille aînée, Ragnhild, tombe éperdument amoureuse d'un armateur norvégien, Erling Sven Lorentzen et doit se battre durant six ans pour pouvoir enfin l'épouser le 15 mai 1953. La princesse Astrid est obligée de menacer le roi de quitter le pays avec Johan Martin Ferner qui, malgré un premier mariage avec un mannequin, ne peut oublier son amour pour la princesse. Déterminée, Astrid fait même la grève de ses obligations officielles et, de guerre lasse, Olaf V autorise le mariage, le 12 janvier 1961.

Le prince triste est heureux

Quant au prince héritier Harald, comme son père, c'est un grand sportif et champion de yachting qui a défendu les couleurs de la Norvège aux Olympiades de Tokyo lors de l'été 1964 et a construit *Fram IV*, un voilier très rapide pour participer aux Jeux olympiques de Mexico. « Derrière cette figure modèle de prince sportif et dynamique, se cache celle, non moins exemplaire, d'un fervent amoureux. » Depuis 1959, il succombe en cachette aux charmes de Sonja Haraldsen. Une belle norvégienne de vingt et un an, fille d'un riche commerçant d'Oslo, propriétaire d'un magasin de confection pour dames. Si tout semble en apparence réunir ces deux êtres, le roi Olaf en a décidé autrement. Il interdit catégoriquement cette liaison qu'il trouve indigne d'un futur souverain. Le roi sait bien de quoi il parle car lui aussi, en son temps, avait succombé aux charmes d'une roturière, Astrid Blesvik, et avait dû renoncer à son bel amour. Mais le jeune prince ne souhaite pas suivre l'exemple de son père et place son amour au-dessus de l'intérêt de l'État.

Loin des regards

Le couple parvient secrètement à se rencontrer, à l'abri des regards de la cour et du gotha international, pour vivre clandestinement cette relation défendue. Même si Harald fut témoin du sort et des souffrances endurés par ses sœurs, il s'entête et ne cède pas à la pression imposée par son père. Les parents de Sonja de leur côté, tentent eux aussi de persuader la jeune fille d'oublier Harald et jugent plus raisonnable de l'éloigner en l'envoyant passer quatre ans dans un pensionnat à Lausanne, où elle apprendra la cuisine, la couture et... le français ; puis elle se rend, en 1965 (durant deux mois) et en 1967 (durant trois mois), à Bellesherbes puis à Solailèze, dans le sud-ouest de la France, chez M. et

Mme Guilbert, comme fille au pair. Mais le « prince triste » ne peut oublier Sonja et refuse tous les partis qui lui sont présentés : les princesses Alexandra de Kent, Sophie de Grèce, Benedikte de Danemark, Christina de Suède et Tatiana Radziwill.

Cet exil, si douloureux soit-il, ne parvient cependant pas à altérer l'amour qui unit Harald et Sonja. Les deux amants ne cessent de s'écrire et réussissent à se retrouver assez régulièrement. La jeune fille ne dévoilera jamais son secret, restant discrète quant à la liaison qu'elle entretient avec le prince héritier de Norvège. Supportant l'absence sans effusion ni pleur. Harald pour sa part est toujours très amoureux malgré les différences sociales et la distance qui les séparent. À deux reprises, le moral de Sonja flanchera cependant, lorsque, en août 1964, puis en septembre 1967, la cour fera publier un démenti péremptoire, libellé en ces termes : « Non, le prince héritier n'a pas l'intention d'épouser Sonja Haraldsen ni aucune autre roturière. »

La patience récompensée

Pendant neuf ans, le roi résiste à ce fils qui le menace à chaque instant de renoncer au trône pour faire fléchir sa position : « Ce sera Sonja ou personne d'autre ; s'il le faut, je renoncerai à mes prérogatives. » Mais rien n'y fait. Jusqu'au jour où, au début de l'année 1968, le bonheur sourit alors à nos deux amoureux. La reine Elisabeth d'Angleterre, de passage à Oslo, parvient à convaincre miraculeusement le roi Olaf – dont elle est très proche – d'accepter cette union. Après une crise nationale et la consultation du gouvernement et du Parlement, les fiançailles de Sonja et du prince Harald sont officiellement annoncées le 19 mars 1968. Le mariage peut désormais être célébré avec le plus grand faste et en présence des souverains du monde entier, le 29 août 1968 en la cathédrale d'Oslo. Le père de la mariée étant décédé, c'est le roi lui-même qui conduit la jeune fille à l'autel, montrant ainsi qu'il l'a définitivement adoptée.

Cette union devient le symbole vivant d'un amour éclatant au grand jour, sous le regard réjoui d'un peuple en émoi. « Tout le gotha pleure d'émotion lorsque Harald et Sonja, mariés depuis une heure, ouvrent le bal sur une valse de Thomassen. L'amour a donné ses lettres de noblesses à une petite-bourgeoise d'Oslo », écrira un journaliste au lendemain de la cérémonie.

Devenu roi après le décès d'Olaf V, le 17 janvier 1991, Harald V ne s'est pas trompé. Sans avoir appris à régner, Sonja devient une remarquable « première dame du royaume ». Cultivée, sportive, simple et se consacrant sans relâche aux enfants en difficulté et aux handicapés, elle sera de 1987 à 1990, vice-présidence de la Croix-Rouge norvégienne.

Le couple vit dans le manoir de Skaugum, entouré d'un domaine de cent trente hectares, à vingt kilomètres de la capitale où grandissent leurs enfants : Märtha Louise, née le 22 septembre 1971, et Haakon Magnus, né le 20 juillet 1973. Comme il est de tradition, les jeunes princes fréquentent l'école publique où ils reçoivent une éducation stricte, comme tous leurs camarades. « Nous attendons des enfants qu'ils soient studieux, cultivés, généreux, conscients de leurs privilèges, mais surtout de leurs devoirs... Ils doivent eux-mêmes ranger leur chambre... », déclare la reine Sonja.

Au début des années 1990, le couple royal s'est engagé activement à la planification des activités culturelles dans le cadre des Jeux olympiques de Lillehammer. En reconnaissance, le roi Harald V est nommé président honoraire du Comité d'organisation et c'est lui qui ouvre officiellement les XXIIe Jeux olympiques d'hiver, le 12 février 1994.

Toujours très actif et sportif, le roi continue d'assouvir sa passion sportive pour la voile et participe régulièrement aux championnats nationaux et internationaux dans cette discipline. En 1987, il remporte la coupe du monde en « One Ton », en 2001, il est vainqueur de la célèbre régate de Majorque et en 2005, il est sacré champion d'Europe avec son voilier *Fram XV*.

Parallèlement à cela, en 1996, Harald se confie dans un livre intitulé : *La Monarchie entre vents favorables et vents contraires*, qui évoque les problèmes des familles royales européennes aujourd'hui. Il remet chaque année le diplôme officiel au prix Nobel de la paix et, depuis sa création en 2003, celui du prix Abel (mathématiques). Très impliqué dans les questions environnementales, le roi est depuis vingt ans président de la World Wildlife Fund (WWF Norvège).

Depuis 1999, les souverains résident principalement au palais royal d'Oslo, dont la réfection a été jugée hors de prix par les Norvégiens. Le reste du temps la famille se partage entre les nombreuses propriétés privées et officielles qu'elle possède, notamment à Maagerø, près de Tjøme. En hiver, le roi retrouve sa famille à la montagne dans un vaste relais de chasse du nom de Sikkilsdalen, mais aussi au Kongsseteren, cette ancienne résidence officielle offerte en cadeau au roi Haakon et à la reine Maud par le peuple norvégien lors de leur accession au trône en 1906. L'été, c'est à Bygdø Kongsgård, juste à côté d'Oslo, et sur le yacht royal *Norge* que les souverains passent principalement leurs vacances.

Le prince héritier et sa sœur ont l'un comme l'autre, à l'exemple de leurs parents, contracté des alliances par amour. Märtha Louise a renoncé à son prédicat d'altesse royale pour épouser, le 24 mai 2002 à Trondheim, le très sulfureux écrivain norvégien Ari Behn, avec qui elle a eu trois filles, Maud Angelica (2003), Leah Isadora (2005) et Emma Tallulah (2008). La princesse est très impliquée dans les œuvres sociales et humanitaires de son pays. Depuis 2007, elle se passionne pour les médecines alternatives et a ouvert à Oslo *l'École des Anges*, car la princesse serait en mesure de « voir les anges » et de pouvoir entrer « en contact avec les esprits de l'au-delà »…

De son côté le prince héritier Haakon Magnus a lui aussi fait frémir le palais et a défrayé la chronique en épousant, le 25 août 2001, une roturière du nom de Mette-Marit Tjessem Høiby, mère d'un petit garçon, Marius, qui a connu des problèmes de drogue dans sa jeunesse. Le couple héritier semble aujourd'hui très heureux et serein en l'avenir depuis la naissance de leurs deux enfants : Ingrid Alexandra, née le 21 janvier 2004, deuxième dans l'ordre de succession au trône et donc future reine de Norvège, et le prince Sverre Magnus, né le 3 décembre 2005.

1971

Marina Doria
et
Victor-Emmanuel, prince de Naples

La belle championne
et l'héritier du trône d'Italie

Sur une petite route suisse, la Ferrari file à plus de cent vingt kilomètres heure. À côté du conducteur, la belle Marina Doria, championne de ski nautique et fille d'un riche industriel helvète. Le choc est violent. De la carcasse s'échappent à peine quelques mèches d'une chevelure blonde. Le couple est immédiatement transporté à l'hôpital de Lausanne. Dans un lit de la chambre 24, Marina échappe au sommeil. Encore un peu tremblante, son bras droit en écharpe, elle traverse le couloir et ouvre la porte qui se trouve en face. Le blessé est entre la vie et la mort. Sur le lit, inconscient et grièvement touché, un prince héritier très convoité, Victor-Emmanuel de Savoie. Marina caresse la main inerte du prince.

L'histoire aurait pu s'arrêter là, mais le « James Dean du gotha » choisira de vivre. « Vivre pour Marina. » Dans le silence obscur et froid de son isolement provisoire, le prince de Naples n'entend plus que ces mots-là.

« Papa écume de rage », confie la princesse Marie-Gabrielle, sœur de Victor-Emmanuel, à l'une des infirmières présentes ce jour-là. Au fond du couloir, les pas de l'ex-roi Umberto imposent le silence. Il vient rendre visite au blessé mais n'a jamais été aussi en colère. Les accidents de voiture, les aventures amoureuses et tapageuses de son fils lui sont insupportables. Il ne veut rien savoir de cette Marina à laquelle le prince est fiancé depuis deux ans ; il lui reproche tout simplement d'avoir un père « dans la pâtisserie ». Il exige que son fils épouse une princesse de sang royal et ne veut pas entendre parler de cette roturière. Mais ladite roturière n'est pas du genre à se laisser impressionner. Elle profite d'une visite du père à son fils pour se présenter à Sa Majesté le roi Umberto II. Marina a du charme et de l'aisance mais cela ne suffira pas. L'entretien sera courtois et bref. De retour au Portugal, le dernier souverain d'Italie songe à l'avenir de son fils. Il pense que l'indomptable est tombé amoureux d'une jolie naïade mais il ne conçoit pas un seul instant que cette créature des mers puisse un jour épouser son fils. Les fiançailles dureront dix ans.

Au moment du drame, en 1962, Victor-Emmanuel a vingt-cinq ans ; on ne compte plus ses accidents de voiture ni ses conquêtes féminines. Grand, blond, l'œil bleu et un charme juvénile, le prince fait des ravages, et ses fiancées ont parfois du mal à s'en relever. Antea

Nocea n'a que dix-huit ans lorsqu'elle tente de se suicider en se jetant du quatrième étage de son hôtel. Dominique Claudel, la petite-fille de Paul, est la « fiancée perpétuelle » du prince volage. Elle va, vient, puis repart enfin.

En 1957, Victor-Emmanuel et Marina se rencontrent pour la première fois autour d'un thé de charité à Crans-sur-Sierre. Ils se retrouvent quelques années plus tard et le prince tombera sous le charme de la sculpturale jeune femme.

Un peu plus jeune qu'elle, il admire son allure et son assurance. Marina sait glisser sur les vagues et jouer des courants. Championne, sportive, elle orchestre sa vie avec autorité et détermination. Elle ne sera pas celle qui passe et ne revient plus. En tentant d'amadouer l'ex-roi d'Italie, Marina voudrait imposer un amour que son fiancé n'ose pas défendre. Umberto a les principes de son temps et les convictions de sa condition. Il ne veut pas céder. En revanche, l'ex-reine Marie-José, qui vit en Suisse au château de Merlinge, reçoit régulièrement Marina. Elle apprécie l'intelligence, l'humour et la grâce de la jeune fille.

Les années passent ; le prince de Naples et Marina ne cessent de s'aimer. Résignés, décidés à ne pas froisser le chef de famille, les « éternels fiancés » attendent discrètement leur heure. À la barre de son hors-bord, sur les eaux calmes et transparentes du lac Leman, Victor-

Emmanuel se retourne et regarde Marina. Elle effleure les vagues avec la grâce d'une sirène et la légèreté d'une sylphide. En 1946, alors que Victor-Emmanuel n'avait que neuf ans, la famille royale italienne a été contrainte à l'exil. Depuis, le prince vit en Suisse et rêve à ce pays qu'il aime et dont les odeurs lui manquent. Le prince réalise alors que son destin ne doit pas lui enlever le droit de vivre. Cette femme qu'il aime depuis plus de dix ans attend de devenir mère. Elle veut fonder une famille et il partage ses rêves. La mort du père de Marina en février 1970 précipite la décision du prince : « Je me suis rendu compte pour la première fois que la mort est une chose qui peut arriver subitement. J'aimais beaucoup le père de Marina. C'était un homme très bon qui m'a toujours accueilli chez lui comme son propre fils. J'ai participé à la douleur de Marina comme si elle était mienne. J'ai donc décidé que je devais avant tout fonder une famille. [...] Il n'y a pas de raison de différer une chose à laquelle je suis déterminé depuis long-temps. »

Victor-Emmanuel est un ami cher du shah d'Iran. En 1971, il reçoit une invitation pour les fêtes du 2 500e anni-versaire de la monarchie à Persépolis. Le prince décide alors que le mariage aura lieu à Téhéran à la veille de ce prestigieux rendez-vous planétaire. Le 7 octobre 1971, dans la plus stricte intimité et après plus de dix années de passion, le prince de Naples épouse enfin la femme de sa vie. La cérémonie est intense et brève. Elle dure trois quarts d'heure à l'institut Dom Bosco (prêtre turinois canonisé en 1934), une église catholique de la ville, parée de glaïeuls et de magnifiques tapis persans. Marina, habillée par Valentino, porte un ensemble de crêpe blanc et une écharpe couleur rubis. Le regard perdu dans les yeux bleus du prince, Marina perçoit l'odeur des roses blanches serrées contre son cœur. Elles ont le parfum du bonheur, et celui de l'apaisement. Certes, son beau-père n'est pas venu au mariage ; il a même confié à l'un de ses gendres : « Qu'il se marie, mais qu'il ne prétende pas qu'il le fait avec mon consentement ! » Malgré son entêtement boudeur, Marina pense qu'un jour le roi acceptera cette union : « Umberto sait très bien que Vittorio et moi sommes ensemble depuis onze ans et je suis sûre qu'il se rend compte que cela ne pouvait pas durer comme cela éternellement. » La reine Marie-José est malheureusement absente. Seules les sœurs de Victor-Emmanuel, alliées fidèles et compatissantes du couple princier, sont présentes à Téhéran. À l'issue de la cérémonie, le shah et la shahbanou reçoivent les mariés au Club impérial puis, le lendemain, au palais Saadabad pour une réception en leur honneur. Par son mariage, Marina devient princesse de Naples mais ne porte pas le prédicat d'altesse royale ni le titre de princesse de Savoie, ces distinctions ne pouvant être conférées que par le roi lui-même.

De retour en Suisse, interrogé sur son statut de prince héritier, Victor-Emmanuel précise : « En ce qui concerne mon mariage avec Marina, je ne pense pas que cela pourrait créer un obstacle [à son accession au trône d'Italie]. Le contraire pourrait être vrai. Cette union fera de moi un homme normal, bien intégré dans les temps que nous vivons, et loin des idées moyenâgeuses que mon père partage encore, selon lesquelles un prince doit forcément et uniquement épouser une princesse. » Les « idées moyenâgeuses » vont souvent de pair avec le respect des traditions. Lorsque le roi Umberto II apprend la naissance de son petit-fils un matin de juin 1972, il accroche, comme l'exige la coutume italienne, un nœud de tulle blanc à la grille de la villa Italia, sa résidence de Cascais. Le roi est comblé par la nouvelle ; il accepte même de devenir le parrain du petit Emanuele Filiberto di Savoia, prince de Venise, héritier en second d'un trône perdu et regretté.

Le bébé a vu le jour à l'hôpital cantonal de Genève. « Pour ne pas perdre un instant de sa vie », le prince de Naples a assisté à sa naissance. Le seul regret de Victor-Emmanuel est que son fils ne soit pas né en Italie : « Cela me chagrine beaucoup ; mais je parlerai souvent de l'Italie à mon fils et je saurai lui faire aimer mon pays. » Le 22 juillet 1972, quatre semaines jour pour jour après sa naissance, Emanuele Filiberto réunit toute la famille royale italienne autour des fonts baptismaux

© D.R.

Cinquante-deux ans
de bonheur séparent ses deux
photographies ; depuis leur
rencontre, un matin de 1959,
Sonja et Harald de Norvège
ne se sont pas quittés.

© Stephane Cardinale/People Avenue/Corbis

Pour la première fois dans l'histoire du royaume de Perse, une femme, l'impératrice Farah, est couronnée par son mari, Mohammad Reza Pahlavi, shah d'Iran, le 26 octobre 1967.

© Suddeutsche Zeitung/Rue des Archives

Grace Kelly apparaît plus belle que jamais le jour de son mariage avec le prince Rainier III de Monaco.

Le 19 avril 1956, tous les invités du mariage monégasque, huit cents personnes, recevront ce flacon en forme de cœur, dessiné par Georges Delhomme et frappé au monogramme de Grace et Rainier.
Col. Jean-Marie Martin-Hattemberg

© Éric Reinard

© D.R.

Après dix ans de fiançailles, Marina
Doria devient enfin princesse de
Naples, en épousant à Téhéran,
le 7 octobre 1971, le prince
Victor-Emmanuel.

Depuis douze ans, Philippe et Mathilde de Belgique
sont heureux et forme un couple harmonieux ;
un avenir certain pour la dynastie et pour la Belgique
toute entière.

Le 19 juin 1976, Carl XVI Gustaf épouse une jeune hôtesse d'accueil allemande qui devient, dès les premiers jours de son règne, une souveraine populaire et exemplaire.

Ce samedi 9 avril 2005 célèbre enfin le bonheur de Charles d'Angleterre, qui vient d'épouser civilement celle qu'il aime en secret depuis son adolescence, Camilla Parker-Bowles.

Mette-Marit et Hakon de Norvège
forment, depuis leur mariage en 2001,
un couple radieux.

En onze ans de mariage, Abdallah et Rania
de Jordanie ont toujours offert l'image
d'un couple uni, attaché à l'avenir de leur
pays, autant qu'à leur vie de famille.

Letizia et Felipe d'Espagne incarnent l'avenir
d'un royaume et d'une Espagne moderne
et tolérante.

Máxima est le plus beau cadeau que
l'Argentine ait fait à la Hollande, un visage
de Madone, une douceur et une fraîcheur
irrésistibles : le pays entier en tomba amoureux
en même temps que son prince héritier,
William-Alexander.

William et Kate au palais
de Buckingham, le jour de
l'annonce officielle de leurs
fiançailles, le 19 novembre
2010. Elle porte au doigt
la bague qui fut celle de la
princesse Diana.

Un petit instant de complicité,
entre le prince Albert et
sa future femme, la belle
et ravissante Australienne,
Charlène Wittstock.

de la chapelle du château de Merlinge. Béni par le curé Ménier, le prince de Venise porte la robe de baptême de son père, rebrodée en Italie pour habiller dignement son entrée dans la maison de Dieu.

En 2002, après cinquante-six ans d'exil, le prince Victor-Emmanuel de Savoie est enfin autorisé à rentrer en Italie avec sa famille. Depuis de longues années, il luttait sans relâche pour faire abolir cette loi ingrate qui les privait, son fils et lui, de cette Italie dont ils rêvaient en silence. À cette fin, le prince avait déposé une requête devant la Cour européenne des droits de l'homme qui l'avait finalement déclarée recevable. Dès lors une nouvelle vie s'organise, Victor-Emmanuel est heureux de pouvoir faire découvrir à Emanuele Filiberto la terre de ses ancêtres. Et lorsque le beau et charmant prince rencontre la femme de sa vie, c'est tout naturellement qu'il décide que leur union aura lieu sur le sol italien. Et c'est ainsi que l'année suivante, le 25 septembre 2003, le prince de Venise épouse la célèbre actrice française Clotilde Courau en la basilique Sainte-Marie-des-Anges-et-des-Martyrs à Rome, célébrant une fois encore le triomphe de l'amour entre un prince et une bergère. Le couple est depuis parents de deux charmantes princesses, Vittoria, née en 2003, et Luisa, née en 2006.

Depuis son retour en Italie, le petit-fils du dernier roi de Savoie s'est lancé dans un nouveau défi, celui de se rapprocher de ses compatriotes, en créant le parti politique

« Valeurs et Futur ». Lors des élections générales italiennes en 2008, il obtient 0,44 % des voix. L'année suivante, il se présente aux élections européennes dans la circonscription du Nord-Ouest, mais n'obtient à nouveau qu'un faible score.

De plus en plus impliqué en Italie, le prince n'hésite pas, afin de mieux se faire connaître de son électorat, à interpréter des rôles à l'écran, à animer un festival de chansons et à devenir animateur de télévision. Son charme et sa personnalité lui ouvrent peu à peu les portes de cette Italie si chère à son cœur.

En 2011, Marina et Victor-Emmanuel fêteront leurs quarante ans de mariage. Il est donc possible, en s'accrochant aux fils de l'existence, de se forger un avenir et de conquérir son bonheur.

1976

Silvia Sommerlath
et
Carl XVI Gustaf, roi de Suède

Trois ans de secret,
trente-cinq ans de bonheur

« Je ne veux pas paraître présomptueuse mais j'ai le sentiment que le destin avait décidé de notre rencontre », confie la reine de Suède dans un livre destiné à sa fille Victoria où elle évoque les grands moments de son existence. Silvia Sommerlath est hôtesse d'accueil en charge des personnalités aux XXᵉ Jeux olympiques d'été de 1972 à Munich, lorsqu'elle croise par hasard le prince héritier Carl Gustaf de Suède. Ce soir-là, le prince arrive très en retard à la cérémonie d'ouverture, il ne trouve plus son carton d'invitation et personne ne l'autorise à entrer. On appelle le président du Comité qui arrive, accompagné de Mˡˡᵉ Sommerlath, et déclare au futur souverain : « Monseigneur, notre meilleure hôtesse vous servira de guide. » Silvia est grande, belle, avec de longs cheveux châtains et de magnifiques yeux marron. Le prince ne reste pas insensible et tombe aussitôt sous le charme de la jeune fille. Sylvia se souvient et confie : « C'était le 26 août [...]. Je me trouvais non loin des places réservées aux personnalités et autres dignitaires, lorsque j'ai aperçu un homme qui m'observait avec une paire de jumelles alors que quelques mètres seulement nous séparaient. La situation me semblait comique. » Carl Gustaf baisse ses jumelles et sourit à la belle hôtesse. Il avouera quelque temps après que « quelque chose avait fait tilt ». Le regard qu'ils échangent à ce moment-là reste l'intense prélude d'un amour qui dure depuis lors.

En 2011, tout le gotha est invité à Stockholm pour célébrer les noces de rubis du plus harmonieux des couples souverains. Silvia est alors plus belle que jamais. La reine de Suède apparaît souveraine et rayonnante aux côtés de Carl Gustaf, son époux depuis trente-cinq ans. Le regard qu'elle pose sur le roi n'a pas pris une ride et c'est la constance de leur amour qu'ils ont souhaité fêter en invitant toute l'Europe couronnée. Parmi les princes héritiers des familles royales européennes, comme un hommage aux unions de cœur, comme un pied de nez aux préjugés et aux convenances, Haakon de Norvège est venu avec sa femme Mette-Marit, Willem-Alexander des Pays-Bas est accompagné de la belle Máxima Zorreguieta, et Joachim de Danemark de sa seconde épouse, une Française Marie Cavallier, sans oublier sa fille Victoria qui depuis juin 2010 est l'épouse de Daniel Westling, son ancien professeur de gymnastique. Tous pensent alors à la jeune femme, qui, en devenant souveraine trente-cinq ans plus tôt, n'a jamais cessé de se montrer exemplaire. Carl Gustaf l'avait affirmé haut et fort : « Je ne ferai qu'un mariage d'amour. Je veux être moi-même. C'est fondamental pour être un bon roi. » Depuis la mort accidentelle de son père en 1947 au château de Haga, le fils unique de Gustaf Adolf et de Sybille de Saxe-Cobourg et Gotha est devenu l'héritier de la couronne de Suède.

Né le 30 avril 1946, il grandit auprès de ses quatre sœurs, Margaretha, Birgitta, Désirée et Christina. Après son bac en 1966, le descendant du grand maréchal d'Empire Bernadotte et de Désirée Clary fait son service militaire et intègre les universités d'Uppsala et de Stockholm. En 1973, certain d'emporter le consentement de son grand-père Gustav VI Adolf pour une union future, Carl Gustaf lui présente l'élue de son cœur. Mais les charmes de la jeune femme ne viendront pas à bout des réticences du souverain qui ne souhaite pas offrir à son pays une reine roturière, et allemande de surcroît. À la mort de son grand-père, Carl Gustaf, devenu roi, est le seul souverain célibataire du monde. Il a vingt-sept ans et la presse le fiance avec les plus beaux partis du gotha. Anne d'Angleterre ou Marie-Christine de Belgique, princesses de sang royal, sembleraient parfaites pour ceindre la couronne de Suède, mais le roi en a déjà décidé autrement.

Née à Heidelberg le 23 décembre 1943, Silvia est la fille de l'industriel Allemand Walther Sommerlath, président du groupe Böhler-Uddeholm, et d'Alice Soares de Toledo, une Brésilienne descendante de colons portugais du XVIᵉ siècle ayant des origines aristocrates espagnoles. Au lendemain de la guerre, les parents Sommerlath quittent l'Allemagne avec leurs trois fils et la petite Silvia. De retour à São Paulo, de 1947 à 1957, Silvia entame des études de langues qu'elle achève en 1969, obtenant un diplôme d'interprète. La jeune femme parle six langues et son aisance en anglais, en français, en italien, en allemand, en portugais et en espagnol lui procure ce fameux *job* d'hôtesse qui lui ouvrira les portes de sa destinée. Pendant trois ans, Carl Gustaf et Silvia s'aiment donc en secret et à l'abri de la curiosité médiatique. « Je devais littéralement me déguiser, porter une perruque ainsi qu'une paire de lunettes de soleil pour passer incognito, écrit-elle. Rencontrer le roi en Suède relevait de l'aventure palpitante. Nous nous efforcions d'être astucieux. Difficile cependant de rester dans l'anonymat, comme ce jour à Innsbruck, en Autriche, où Carl Gustaf fut obligé de fausser compagnie à ses gardes du corps suédois et autrichiens à skis pour me retrouver. »

Les parties de cache-cache prennent fin le 12 mars 1976 lorsque Carl Gustaf et Silvia annoncent leurs fiançailles. Trois mois plus tard, le 19 juin, le mariage est célébré en l'église de Storkyrkan à Stockholm en présence de mille quatre cents invités. Seulement deux cents journalistes furent autorisés à l'intérieur de l'église, bien que plus de 1 000 eussent postulé. Le mariage fut célébré par l'archevêque Olof Sundby, responsable de l'église de Suède, assisté de l'aumônier de la cour, Hans Akerhielm et de l'oncle de la mariée, le père Ernst Sommerlath, célèbre théologien de Leipzig, âgé de quatre-vingt-sept ans. Vers midi, après l'émouvant « *Ja, jag vill* » (« oui, je le veux »), Silvia, dans une robe discrète de satin couleur ivoire conçue par Marc Bohan de la maison Christian Dior, devient la septième reine de Suède. Portant une traîne de quatre mètres de long brodée en dentelle de Bruxelles – qui depuis cent cinquante-deux ans servit à tous les membres de la dynastie Bernadotte –, retenue par le célèbre diadème de camées, Silvia sort de l'église radieuse et acclamée par les milliers de Suédois venus entourer leurs souverains. Seule la reine Elisabeth II n'a pas souhaité se rendre au mariage. Le duc et la duchesse de Gloucester, huitièmes dans l'ordre de succession au trône, se sont certes déplacés pour représenter la famille royale d'Angleterre, mais l'absence de la reine est remarquée. Vexés, les Suédois ne manquent pas de faire observer que la duchesse en question n'était que secrétaire avant son mariage. Mais la reine n'accepte pas que Carl Gustaf ait choisi une épouse qui ne soit pas de sang royal et elle ne comprend pas que le roi ne se soit pas conformé au souhait de son grand-père mort sans avoir approuvé cette union. Peut-être aussi, la reine gardait-elle rancune à ce lointain neveu qui n'avait pas choisi sa fille Anne ? Lorsque Carl Gustaf et Silvia s'envolent pour Hawaii, destination idyllique de leur lune de miel, ils laissent derrière eux de stériles considérations sur les alliances dynastiques pour profiter librement des premiers instants d'une union enfin reconnue. À leur retour en Suède, le jeune couple s'installe dans le château de Drottningholm à Stockholm en attendant la naissance d'un premier bébé. La princesse Victoria voit le jour le 14 juillet 1977. Viennent ensuite Carl Philip, le 13 mai 1979, et la princesse Madeleine, le 10 juin 1982. Le nouvel ordre de succession au trône adopté en 1980 fait de Victoria l'héritière de la couronne de Suède.

Malgré les épreuves et le poids de son destin, toujours souriante et gaie, la princesse héritière Victoria incarne l'avenir d'une nouvelle génération de souverains qui ne veulent à aucun prix sacrifier leur bonheur à la raison d'État. D'ailleurs, elle a choisi, pour partager sa vie, d'épouser Daniel Westlin, un roturier, après huit ans de patience et de passion, le 19 juin 2010, montrant, une fois encore, qu'à la cour de Suède, l'amour triomphe. Un quart de siècle plus tôt, son père le roi Carl Gustaf avait déjà compris qu'un mariage d'amour était indispensable au bon accomplissement de ses fonctions. Sa

sœur Désirée disait alors de sa future belle-sœur :
« Silvia est merveilleuse, elle possède toutes les qualités
pour se transformer en une épouse modèle et efficace.
Elle est la compagne dont mon frère a besoin. » Trente-
cinq ans plus tard, rayonnants et heureux, Carl Gustaf
et Silvia de Suède, couple complice et souverain
modèles, offrent aux princes héritiers européens
d'aujourd'hui une image séduisante et enviable, référence évidente en matière de bonheur. Même si la
presse à scandales suédoise a récemment révélé, après la
publication en novembre 2010 du livre *Carl XVI Gustaf,
souverain malgré lui*, que le roi avait eu à la fin des
années 1980 quelques aventures amoureuses. La reine
Silvia, digne et exemplaire comme toujours, n'a fait
aucun commentaire à ces allégations et son entourage
de confirmer : « La reine est la personne la plus impor-
tante dans la vie du roi. Il l'aime, l'admire, et ne fait rien
sans la consulter. »

1993

Rania al-Yassine
et
Abdallah, prince de Jordanie

La plus jolie reine du monde

Des souveraines comme Rania de Jordanie, il y en eut peu, mais elles nous bouleversent encore aujourd'hui. Il y eut Astrid de Belgique, son sourire et sa bonté ; mais aussi Grace de Monaco, sa beauté parfaite et les années insouciantes du Rocher, et enfin, Diana, princesse de Galles, sa haute silhouette, ses larmes et sa tendresse. Toutes font partie d'une histoire, celle des reines et princesses de légende.

Toutes ont disparu tragiquement en nous laissant un quotidien sans rêves. On attendait alors, sans trop oser y croire...

Le 7 février 1999, le roi Hussein de Jordanie sur-nommé le « Petit Roi » vient de mourir. Depuis plus d'un an déjà, le souverain hachémite se battait contre un cancer. Avant de se retirer, il s'octroie un dernier coup d'éclat, le plus important des nombreux qui jalonnèrent son règne. Avant de repartir aux États-Unis pour se faire soigner et ne plus jamais revenir, le roi décide de choisir son successeur. Il écarte son frère cadet Hassan du pouvoir et confie son pays à un nouveau roi, son fils, le prince Abdallah.

Aîné de douze enfants, le prince héritier naît le 30 janvier 1962. Sa mère, Antoinette Gardiner, est une jeune Anglaise, qui, convertie à l'islam, est devenue la reine Mouna. Le roi et Mouna se séparent en 1972, puis le roi se sépare de la reine Dina pour épouser Alia Toukan. Après la mort tragique dans un accident d'hélicoptère de son grand amour, la belle Alia, il partagera les vingt dernières années de sa vie avec la reine Noor al-Hussein (« la lumière de Hussein »), une Américaine née Elisabeth Halaby, qu'il avait épousée le 15 juin 1978 alors qu'elle était âgée de vingt-six ans.

La famille s'agrandit dans la joie d'une unité singulière, au gré des naissances de frères et de sœurs de sang et des arrivées impromptues d'enfants adoptés. Le prince fait ses études en Jordanie et rejoint les bancs de l'université d'Oxford pour des cours de politique internationale. Respectueux de la tradition militaire familiale, il intègre la prestigieuse école de Sandhurst en Grande-Bretagne et s'engage dans l'armée jordanienne en 1984. Après un an de stage à l'école de cavalerie de Fort Knox aux États-Unis, le prince Abdallah, pilote d'hélicoptère et de char, prend le commandement du corps d'élite de l'armée jordanienne.

Rania al-Yassine naît le 31 août 1970 au Koweït. Lorsque la guerre du Golfe éclate, elle est étudiante à l'Université américaine du Caire, puis obtient un diplôme d'études approfondies en gestion d'entreprise à l'université de Genève. Ses parents, comme les trois cent mille Palestiniens du pays, sont chassés pour avoir « collaboré avec l'occupant irakien ». Ils prennent le chemin de l'exil et s'installent en Jordanie. À la fin de ses études, la jolie Rania rejoint sa famille et commence à travailler. Éblouissante, Rania est une femme intelligente et active. La belle aux allures de top-modèle a l'emploi du temps des femmes de son temps. Elle travaille à la Citybank d'Amman, puis dans une société d'informatique où elle met en œuvre avec ambition ses connaissances en gestion et finances.

Un soir de février, elle rencontre le prince Abdallah chez des amis communs. Leur histoire a tout d'un conte de fées, et chacun, à travers eux, se prend à rêver... Elle est merveilleusement belle. Il en tombe aussitôt amoureux. Quatre mois plus tard, le 10 juin 1993, le prince Abdallah épouse la somptueuse Palestinienne. La mère du prince dira : « Son charme lumineux n'a d'égal que les immenses qualités de son cœur. Elle sera le diamant de notre couronne ». Et Rania de confier : « Je ne me souviens pas, enfant, d'avoir rêvé épouser un prince, mais j'ai toujours espéré me marier avec un homme bienveillant et qui réponde à mes aspirations comme bon époux et bon père. Quand j'ai rencontré Abdallah, j'ai découvert en lui toutes ces qualités, bien supérieures même à ce que j'attendais. Je me suis mariée avec lui sans jamais songer à sa position sociale. » Commencent alors les plus beaux jours de leur existence. La princesse offre au roi Hussein, le 28 juin 1996, un petit-fils qui porte son nom. Puis vient Iman en 1996. Le couple s'installe quelque temps en Californie où Abdallah effectue un stage sur une base militaire. Ils ont la vie d'une famille heureuse, anonyme et insouciante.

Hussein meurt. Le pays est en deuil. Un deuil qui dure trois mois, à l'issue duquel le nouveau roi donne à son épouse le titre de reine et l'installe officiellement dans ses nouvelles fonctions. Elle n'a que vingt-huit ans et le monde découvre enfin son visage.

Choisie par le roi, aimée de son peuple, la reine Rania devient en quelques semaines le plus précieux des espoirs et la nouvelle étoile du gotha. Symbole d'une harmonie nouvelle entre tradition et modernité, la souveraine hachémite charme les cours d'Europe, embrase l'Élysée, séduit le monde entier. Élégante, altière, elle attire les regards, conquis, enchantés.

La nouvelle reine est une femme moderne et une souveraine engagée. Dans un sobre bureau du petit palais, elle prend en main son destin et travaille à son accomplissement. Elle est ambitieuse pour elle comme pour son peuple. La tâche est immense. Elle se concentre sur deux causes qui lui sont chères : l'éducation des enfants et le travail des femmes. Elle privilégie les solutions économiques aux réflexions politiques et ne perd jamais le contact avec la réalité. Au lendemain de son accession au trône, elle crée son propre site Web, permettant ainsi à quiconque d'entrer en contact plus facilement avec cette souveraine des temps modernes. Depuis 1995, elle dirige la Fondation du Jourdain, une organisation non gouvernementale créée à son initiative, qui incite les femmes à devenir les acteurs de leur propre existence dans leur propre pays en devenant dirigeantes et créatrices d'entreprises. Décidée par ce fait à briser les tabous qui continuent à paralyser l'évolution d'une partie de la société du royaume, elle milite sans relâche pour la défense des droits des femmes, lance une vaste campagne de sensibilisation sur le problème de l'enfance maltraitée, crée le premier centre d'accueil pour les jeunes victimes et améliore la coordination entre les pouvoirs publics et les organismes locaux en charge de la protection de la famille. Dons d'organes, campagne de vaccination, préservation de l'environnement... voici la liste de toutes ses batailles.

À l'image d'un roi qui se déguise pour observer les siens et s'émanciper des rapports officiels, la reine veut rester proche de son peuple. Ensemble, unis par un amour fort et complice, Abdallah et Rania travaillent en équipe, souverains et partenaires ; la reine rappelle que leur mariage n'est pas une alliance politique mais un « mariage d'amour fondé sur la compréhension et le respect mutuels ». Très proches l'un de l'autre, ils parlent de tout avec liberté. Mais lorsque le roi rentre chez lui, Rania sait rester une femme attentive et prévenante. « Lorsqu'il est à la maison, je m'efforce de ne jamais parler de travail. Je crois qu'il a aussi besoin de paix lorsqu'il est en famille. C'est à moi, en tant qu'épouse, de lui prodiguer les encouragements qui sont nécessaires à tout homme et de veiller à l'harmonie de sa vie. »

Le 26 septembre 2000, une petite fille voit le jour à la clinique Roi Hussein d'Amman. Cette Altesse Royale porte le doux nom de Salma, qui signifie « paix ». La seconde fille du couple royal, seule bonne nouvelle de ces premiers longs mois de règne, est arrivée par surprise. Pour le Moyen-Orient, depuis son avènement, Abdallah n'a qu'un objectif : restaurer le calme, collaborer à l'instauration de la paix. Inutile de dire que la Californie est loin, son insouciance aussi. Mais certains que le meilleur est toujours pour demain, Rania et Abdallah poursuivent leur chemin. Avec rigueur, avec noblesse, ils travaillent ensemble au bonheur de leur peuple. Sans oublier le leur, attentifs à leur couple et aux enfants parce qu'ils savent qu'ils sont ce qu'ils ont de plus cher.

La naissance de Salma est porteuse d'espoir et de joie. Le peuple jordanien l'accueille en princesse. Des milliers d'entre eux viennent porter fleurs et cadeaux à la jeune maman. Comblée, Rania de Jordanie pose pour les photographes. Derrière la souveraine, le roi Abdallah se tient là, discret, respectueux et attendri. Ils offrent au monde l'image d'un couple exemplaire, d'un bonheur parfait. Mère avant tout, la reine Rania confie : « Mes activités s'organisent en fonction des journées d'école des enfants. Le simple fait de les aider à faire leurs devoirs me donne un sentiment très fort de sécurité. »

Suite à sa forte implication dans de nombreux domaines, notamment son combat pour la paix, elle est élue en 2004 par le magazine *Forbes* à la 13e place au classement des 100 femmes les plus importantes au monde. L'année suivante elle donne au roi un nouvel enfant, le prince Hashem. De plus en plus populaire à l'étranger, elle reçoit en 2008, le Prix Nord-Sud du Conseil de l'Europe. Et le 8 mai 2009, neuf ans après la visite de Jean-Paul II en Terre sainte, le roi Abdallah II et sa femme accueillent à Amman le pape Benoît XVI, à l'occasion de sa première visite dans un pays arabe musulman, montrant aux yeux de l'Occident « que la liberté religieuse est naturellement un droit humain fondamental ».

Aujourd'hui encore, après avoir fêté ses quarante ans, la reine Rania est considérée dans le monde entier, à juste titre, comme l'une des souveraines les plus populaires de son temps, par son style et son chic mais aussi et surtout pour ses engagements. Mais que l'on ne s'y trompe pas, elle use de son élégance comme d'une arme politique et non à des fins personnelles. Au grand dam de ses détracteurs qui lui reprochent souvent son train de vie dispendieux et sa frivolité vestimentaire.

Depuis la chute des dictateurs en Tunisie et en Égypte, la Jordanie, comme une partie du monde arabe, connaît à son tour une période de troubles et de bouleversements. Le royaume de Jordanie, où règnent des souverains modernes et actifs, va-t-il résister à la pression populaire de la rue ? Pour l'heure, le roi soucieux et à l'écoute de son peuple a appelé son gouvernement, le Parlement et la justice à prendre des mesures rapides pour engager des « réformes réelles » et entamer un « dialogue général ».

1999

Mathilde d'Udekem d'Acoz
et
Philippe, prince héritier de Belgique

Une princesse de charme
pour l'avenir de la Belgique

De tout cœur, la reine et moi nous nous mettons au service de notre pays », déclare le roi Albert II, sixième souverain belge, lors de sa prestation de serment, le 9 août 1993. Le « roi rieur », qui prend néanmoins son rôle très au sérieux, a remplacé le « roi triste ». Mais c'est son fils aîné Philippe qui, en une période de morosité, offre le plus beau des cadeaux aux Belges : son mariage tant attendu avec la ravissante Mathilde d'Udekem d'Acoz, le 4 décembre 1999. Dans la cathédrale des Saints-Michel-et-Gudule éclairée de vingt-cinq mille fleurs et des rayons du soleil hivernal, mille sept cents invités attendent l'arrivée de la mariée. Nimbée d'un voile de dentelle de Bruxelles, porté pour la première fois par la reine Marie-Henriette, sur lequel est posé le diadème offert par la reine Elisabeth à la reine Astrid, Mathilde est rayonnante et émue. Une fois la cérémonie achevée, le duc et la duchesse de Brabant se rendent au palais où ils apparaissent au balcon en s'embrassant. La Belgique, pour son dernier mariage du siècle, est en liesse et acclame celui qu'elle considère déjà comme son futur « roi de cœur ».

Philippe naît le 15 avril 1960 au château du Belvédère. Il porte avec lui l'avenir d'un royaume divisé entre Wallons et Flamands et le choix d'une épouse ouvertement flamande est un symbole fort pour l'avenir de la dynastie.

À la fin de ses études secondaires, le prince est élève de l'École royale militaire de Bruxelles durant trois ans, il obtient les brevets de parachutiste, de commando et de pilote. Il commande ensuite le peloton du 3ᵉ bataillon de parachutistes et est nommé capitaine de la 118ᵉ promotion en 1983. Après sa formation militaire, le prince étudie au *Trinity College* de l'Université d'Oxford et poursuit ses études à la *Graduate School* de l'Université Stanford en Californie. Le 16 juin 1985, il remporte un Master of Arts en sciences politiques. Et à partir de 1989, sa formation se poursuit par l'étude de la géopolitique, de la défense et de la stratégie à l'Institut Royal Supérieur de Défense d'où il sort colonel. Très engagé dans la vie associative et sociale de son pays, il suit les conseils avisés de son parrain, le roi Baudouin. La mort du souverain, en 1993, le propulse sur les devants de la scène politique, mais dans la vie privée, le duc de Brabant reste discret et effacé. On ne lui connaît aucune aventure sérieuse, et, à l'aube de ses quarante ans, il est toujours seul. Pourtant celui que l'on surnomme « l'éternel célibataire du gotha » rencontre enfin en 1996, lors d'une partie de tennis organisée par des amis, celle qui deviendra sa femme. La jeune fille est charmante, belle, fraîche et appartient à l'une des meilleures familles du royaume vivant dans la région de Louvain, dont l'origine remonte à la seconde moitié du XIIIᵉ siècle. Elle se nomme Mathilde. Elle est âgée de vingt-trois ans et se trouve être la fille du chevalier Patrick d'Udekem d'Acoz et de la comtesse Anna Maria Komorowska, née à Bialogard en Pologne. La future princesse passe une enfance paisible et heureuse en compagnie de trois sœurs et d'un frère dans le domaine familial du château de Losange, une vaste propriété que son père avait achetée à Villers-la-Bonne-Eau. Petite fille modèle, elle fait ses études primaires à l'école Notre-Dame de Bastogne, puis fréquente l'Institut de la Vierge Fidèle à Bruxelles. En 1991, Mathilde choisit d'étudier la logopédie à l'Institut Libre Marie Haps de Bruxelles où elle obtient trois ans plus tard son diplôme avec mention. Tout en poursuivant des études de psychologie à l'Université catholique de Louvain, elle ouvre un cabinet de logopédie dans la capitale belge.

L'idylle du couple est si discrète que l'annonce de leurs fiançailles, le 10 septembre 1999, prend le royaume par surprise. Cette romance authentique et touchante est une aubaine pour le royaume, accablé depuis des années par de mauvaises nouvelles. Le voilà enfin prêt à vivre enfin une histoire heureuse. La future duchesse de Brabant séduit d'emblée la famille royale et bénéficie aussitôt d'un grand élan de sympathie populaire. Les joyeuses entrées des fiancés sont une réussite. La spontanéité, l'éternel sourire, l'élégance et les petits gestes d'attention de la future princesse conquièrent les cœurs. Le prince Philippe, d'habitude si réservé, apparaît sous un autre jour : attentif et prévenant à l'égard de sa fiancée, n'hésitant pas à lui témoigner des marques d'affection en public. La population redécouvre son prince héritier. Elle se trouve rassurée par l'homme, traditionnellement décrit comme gauche et timide, qui fait excellente impression. Il est sûr de lui et l'on peut lire alors sur toutes les lèvres « c'est l'effet Mathilde ».

La Belgique tout entière se retrouve à l'unisson pour célébrer ce mariage de conte de fées, comme elle n'en avait plus vu depuis vingt ans. Cette histoire d'amour royale donne une immense bouffée d'air frais. Tous les Belges qui découvrent Mathilde sont séduits. Son sourire entre dans la légende. Les jeunes mariés convolent en justes noces devant les caméras du monde entier et un parterre de têtes couronnées.

La popularité du couple héritier atteint son apogée à la naissance d'Elisabeth, le 25 octobre 2001, appelée à devenir la première femme à monter sur le trône de Belgique. Suivront Gabriel, en août 2003, Emmanuel, deux ans plus tard, et Éléonore le 16 avril 2008.

Le couple vit aujourd'hui au château de Laeken et continue à montrer l'image parfaite du bonheur. La princesse Mathilde reste un exemple pour la famille royale et la Belgique. Très engagée dans le domaine humanitaire, elle dirige un grand nombre d'associations et d'ONG. Depuis 2005, elle est l'ambassadrice officielle de l'Unicef et est bien décidée à attirer l'attention du monde sur le sort des enfants défavorisés ou atteints du sida. Elle prend également très au sérieux son rôle d'émissaire des Nations unies pour la promotion des microcrédits. En outre, elle s'active sans relâche à modifier l'image de son conjoint dans l'opinion. Elle veille à mettre son mari en avant, fait en sorte que les gens s'intéressent à lui et apprennent à mieux le connaître. Au sein du couple, elle est celle qui écoute, qui encourage et qui rassure. « Aussi loin que remontent les souvenirs des observateurs, l'ex-demoiselle d'Udekem d'Acoz a toujours eu de la confiance pour deux. » Issue d'une famille aristocratique francophone d'origine flamande, elle incarne à elle seule le difficile équilibre entre deux cultures toujours promptes à s'entredéchirer. Face à l'acharnement des antimonarchistes, l'avenir de la dynastie repose maintenant en partie sur ses épaules. Mathilde est incontestablement : « L'atout-cœur de la famille royale. »

2001

Mette-Marit Tjessem Høiby
et
Haakon Magnus,
prince héritier de Norvège

Amour contre raison d'État

Un Noël en Norvège est plus blanc et plus froid qu'ailleurs, et c'est devant la cheminée, autour d'un bon dîner, que l'atmosphère devient chaleureuse. Sur la table royale, le petit Marius aura droit au repas traditionnel : le *risengrynsgrot* (riz au lait) pour se consoler du *lutefisk*, l'inévitable morue marinée dans de la soude caustique... Et pourtant, le menu ne semble pas assombrir la joie du petit garçon de trois ans. Sa maman est là. Il a un nouveau père et, dans le rôle de la grand-mère, la reine Sonja de Norvège fait merveille.

Nous sommes dans les environs d'Oslo, dans le chalet de Kongsseteren. La famille royale fête Noël en famille ; une famille qui, depuis l'annonce officielle des fiançailles du prince héritier, au mois de décembre 2000, s'est considérablement élargie. Haakon Magnus a décidé d'unir sa vie à Mette-Marit, vingt-sept ans et jeune maman du petit Marius aux cheveux d'ange. L'aventure est belle et mérite d'être contée.

Et puisque l'histoire d'un enfant s'explique bien souvent par celle de ses parents, un bref retour en arrière s'impose. Le 29 août 1968, le prince héritier Harald de Norvège épouse après neuf années d'obstination sa fiancée Sonja Haraldsen. Elle n'est pas de sang royal et le bon roi Olav s'est longtemps opposé à leur amour. La jeune Sonja est cachée et envoyée comme jeune fille au pair dans une famille du fin fond de la Corrèze. Les amoureux sont séparés et malheureux. Harald menace alors de renoncer à la succession, et précise que si son pays a besoin de lui il répondra présent mais avec Sonja à ses côtés. Le « prince triste » a la persévérance des timides. Il finit par convaincre son père, le gouvernement et le Parlement de la solidité de ses sentiments. Le peuple norvégien s'enthousiasme pour cette émouvante histoire et accueille Sonja avec la chaleur entière et vigoureuse des peuples nordiques. À la sortie de la cathédrale Domkirken, Sonja devient la première dame du royaume, puis reine de Norvège. Depuis, sa popularité n'a cessé de croître et celle de toute la famille royale avec elle. On aime leur simplicité et leur humanité. Ils offrent l'image d'une famille unie et décontractée et il n'est pas rare de rencontrer la princesse Märtha-Louise dans le tramway ou à la terrasse d'un café. Son frère cadet, Haakon Magnus, est un prince à la fois sportif et intellectuel, timide, mais qui sait se montrer brillant devant les caméras. Il assume avec aisance sa position et les devoirs qui s'y rattachent.

En s'impliquant dans la lutte antiraciste et en défendant les droits des homosexuels, il acquiert le soutien des jeunes, qu'il réconcilie ainsi avec la monarchie. Le peuple norvégien est fier de la famille royale et s'amuse de son côté parfois un peu atypique.

Un passé troublant

Rien de surprenant, donc, que l'opinion ait accueilli sans réserve les fiançailles du prince héritier avec une roturière en y voyant naturellement le maintien d'une tradition familiale inaugurée par le roi lui-même. Seulement, la jolie Mette-Marit Tjessem Høiby n'est pas seulement roturière. Elle est aussi mère célibataire et son passé n'est pas blanc comme neige. Comme Haakon Magnus, la jeune femme est mélomane mais ce n'est pas à l'Opéra qu'ils se sont rencontrés. C'est au festival de rock de Kristiansand, la ville natale de Mette-Marit, que l'héritier du trône est tombé sous le charme de la belle blonde. Quelques mois plus tard, il confie aux journalistes : « Oui, j'ai une petite amie. Certes, elle a un passé mais elle mène maintenant une vie très différente. » La presse donne alors les détails de ce passé un peu agité lorsque Mette-Marit fréquentait les *rave party*, et son nom est largement associé aux drogues qui leur sont liées. On découvre aussi que le père de Marius n'est pas inconnu des services de police, qu'il consomme de la cocaïne, conduit en état d'ivresse, peut se montrer violent et, le plus embrassant, qu'il a un droit de visite sur son fils... On se demande alors comment le prince héritier pourra s'accommoder de la situation. Lorsque les deux amoureux s'installent ensemble, l'annonce de leur concubinage contrarie l'Église, qui les supplie de se fiancer. Les conservateurs sont scandalisés et les féministes font de Mette-Marit le nouveau symbole de leur lutte. Le couple reste serein mais, sous la pression, Haakon Magnus songe un temps à renoncer au trône. Un temps seulement, puisqu'il parvient à imposer son choix à des parents qui auraient eu bien du mal à s'y opposer. Un jour, le prince enfin s'agenouille et demande Mette-Marit en mariage. En cadeau, la bague que le roi Olav a offerte à la reine Martha et que son père a, à son tour, donnée à sa mère. Les fiançailles officielles sont célébrées le 1er décembre 2000 et le mariage annoncé pour le 25 août 2001. Depuis la rumeur se tait, et chacun loue l'humilité et la grâce de la future reine qui confie à la presse : « J'espère que les Norvégiens voudront bien de moi, de la personne que je suis aujourd'hui et qu'ils m'accepteront pour ce que je suis. » Le prince héritier a reçu le soutien du Premier ministre travailliste, Jens Stoltenberg, et même la bénédiction de l'évêque d'Oslo, qui célébrera le mariage.

Pour le bonheur

À force de sincérité, de transparence et de constance, les fiancés ont finalement réussi à faire l'unanimité et c'est dans la sérénité que se prépare le mariage. En attendant, Haakon Magnus fait doucement l'apprentissage de son nouveau rôle de père avec l'assurance et l'intelligence qui le caractérisent. À propos de Marius, il précise : « C'est très important pour nous de le protéger, de lui donner un cadre sûr. Nous souhaitons qu'il devienne de son plein gré un membre à part entière de la famille et nous voulons lui donner assez de protection et de confiance en lui pour qu'il s'y sente à l'aise. » Ce jour-là, Marius est un peu emprunté dans son costume de cérémonie. Dans l'enceinte de la cathédrale de Domkirken, le petit page attend sa maman avec une nervosité mal dissimulée. Les cloches sonnent et, au bout de l'allée, tel un ange couronné, Mette-Marit avance, rayonnante, au bras du prince héritier. Haakon Magnus, dans son uniforme d'officier de l'armée royale norvégienne, a souhaité rompre avec la tradition en menant sa fiancée à l'autel. La cérémonie est simple et émouvante. Le « *ja* » de la belle est à peine perceptible. Il résonne comme un soupir de soulagement après de trop longs mois de lutte. Et pourtant, ils sont tous là. Carl Gustaf et Silvia de Suède, le grand-duc Jean de Luxembourg et son épouse, Joséphine-Charlotte, le roi et la reine de Belgique, la reine de Danemark, le comte et la comtesse de Wessex, le prince Charles, Frederik de Danemark, témoin du marié, Willem-Alexander des Pays-Bas et Máxima, sa fiancée, la reine Sophie d'Espagne et son fils Felipe, suivi de près par Eva Sannum, top-modèle et amie du prince héritier. Réunis l'avant-veille du mariage dans la nouvelle demeure du couple, à Skaugum, pour enterrer la vie de célibataires des futurs époux, les invités ont dansé jusqu'à l'aube avant de participer à une croisière dans le fjord d'Oslo à bord du *Norge*. Attendus à leur descente du yacht royal pour une soirée plus traditionnelle entre les murs de la forteresse d'Akershus, ils écoutent le discours du prince héritier : « Je tiens à vous remercier pour cette soirée extraordinaire et surtout pour le soutien que vous avez apporté à Mette-Marit depuis le début. Je comprends que notre choix n'ait pas été facile pour tout le monde, mais sachez que nous ferons tout pour mettre notre bonheur au service du pays. […] Je me sens plus fort pour l'avenir avec Mette-Marit à mes côtés. »

Elle surmonte tous les obstacles

À l'issue de la cérémonie religieuse, saluant la foule du balcon, le jeune couple s'embrasse, leur baiser est certainement l'un des plus beaux et des plus mémorables de l'histoire des mariages royaux. La famille royale de Norvège devient alors le symbole d'un bonheur nouveau. Un bonheur choisi et construit. Un bonheur imposé malgré les traditions et le poids des conventions. Tout avait été parfaitement orchestré selon les souhaits de Haakon Magnus et Mette-Marit. Ils avaient réussi à organiser le plus beau jour de leur vie d'une manière parfaite, avec une cérémonie simple, moderne, sans la contrainte des anciennes traditions royales. Ils avaient personnellement choisi dans les moindres détails le déroulement de leur noce, et invité cinquante couples roturiers norvégiens à leur bal. Comme le faisait remarquer l'évêque Gunnar Stalsett dans son discours, ils n'avaient « pas choisi le chemin le plus facile, mais l'amour a prévalu ». En effet, cette histoire n'est pas un conte de fées. C'est bien une histoire d'amour, un pari audacieux et une aventure courageuse, l'illustration parfaite de la devise ancestrale de la maison royale : « Pour la Norvège, avec son temps. » Dix après, le bonheur est toujours au rendez-vous. Une famille heureuse et comblée depuis la naissance de ses deux enfants, la princesse Ingrid Alexandra, le 21 janvier

2004, héritière en second du trône de Norvège après son père, et le prince Sverre Magnus, né le 3 décembre 2005. Force est de constater le parcours sans faute de Mette-Marit, cette jeune roturière peu au fait des coutumes royales et qui pourtant, comme sa belle-mère en son temps, a surmonté tous les obstacles.

2001

Máxima Zorreguieta
et
Willem-Alexander, prince héritier des Pays-Bas

Un encombrant beau-père

« Je maintiendrai ! » La devise de la maison d'Orange illustre parfaitement l'entêtement de Willem-Alexander des Pays-Bas au moment d'imposer à ses parents, au Parlement, à la presse et à son peuple celle qu'il a choisi d'épouser, la belle Máxima Zorreguieta. Depuis que le prince héritier a été vu en compagnie de cette jeune Argentine, la crise s'est précisée et son mariage est devenu une affaire d'État. On ne peut rien reprocher à Máxima, sinon le passé d'un père, Jorge Zorreguieta qui fut ministre de l'Agriculture du dictateur Videla. La polémique enfle, le Premier ministre intervient, Willem-Alexander, agacé, défend un futur beau-père difficilement défendable. Le peuple néerlandais assiste, scandalisé, embarrassé ou tout simplement indifférent, à l'une des plus belles polémiques de sa populaire mais mouvementée monarchie.

La famille régnante néerlandaise s'est toujours nourrie de contrastes et c'est sans doute ce qui en fait l'une des plus attirantes d'Europe. Depuis 1890, trois souveraines de caractère se sont succédé sur le trône des Pays-Bas. Héritières dignes et fières d'une dynastie fondée par Guillaume le Taciturne en 1533, Wilhelmine, Juliana et Beatrix ont su rester efficaces et populaires malgré les crises violentes et les scandales qui marquèrent chacun de leur règne. Lorsque la très aimée reine Juliana décide d'abdiquer le jour de son soixante et onzième anniversaire, après trente-deux ans de règne, elle abandonne volontairement la couronne à sa fille Beatrix, intronisée au palais royal d'Amsterdam le 30 avril 1980.

Beatrix, dont le surnom de « princesse sourire » cache une forte personnalité et une détermination sans faille, s'est fait remarquer avant même de ceindre la couronne en épousant, vingt ans après la guerre, un diplomate allemand qui a appartenu aux Jeunesses hitlériennes. Allant jusqu'à entamer une grève de la faim pour obtenir le droit d'épouser Claus von Amsberg, elle obtient finalement que son mariage soit approuvé par la reine et le gouvernement après que le diplomate eut été innocenté de tout crime de guerre. Le 10 mars 1966, la princesse Beatrix est unie à Claus von Amsberg sous les cris menaçants de « *Claus raus !* » (« Dehors Claus ! ») et les fumées des bombes lacrymogènes. Plus de quarante ans après cet épisode, la reine Beatrix et le prince consort sont des souverains aimés et populaires qui ont su façonner la monarchie néerlandaise en respectant les traditions et en s'adaptant aux exigences d'une politique volontairement progressiste.

Enfin un prince pour la Hollande

La naissance de Willem-Alexander Claus George Ferdinand le 27 avril 1967 à Utrecht ouvre les portes d'une ère nouvelle au pays des tulipes. Voilà plus d'un siècle que la Hollande est dirigée par des femmes et l'arrivée du petit « Wimpie » enthousiasme les Néerlandais.

Après une scolarité au collège de Nieuwe Baarnse à Baarn puis dans un lycée protestant, un séjour de deux ans au pays de Galles, un service militaire dans la marine et une maîtrise d'histoire à l'université de Leyde, Willem-Alexander attaque la trentaine en prince populaire et plébiscité par ses sujets... Cela n'a pas toujours été le cas. À son sujet, l'écrivain néerlandais Jeroen Brouwers écrivait : « La profondeur d'une planche de surf, le cerveau d'un poisson, le rayonnement intellectuel d'une laitue... » Depuis la fin de ses études, Willem-Alexander multiplie les voyages, participe au Conseil des ministres, assiste à la session plénière du Conseil d'État, s'implique dans la promotion du commerce extérieur néerlandais et affirme : « Je veux un règne avec du contenu ! Du clinquant et peu de fond ne me conviendraient nullement. »

Désormais prêt à devenir roi, il manque au prince la compagne de ses rêves. Plusieurs jeunes filles se succèdent au bras de l'héritier, mais aucune n'obtient la bénédiction d'une mère connue pour être exigeante et autoritaire. Ainsi, au terme d'une idylle de quatre années, une fille de dentiste, Emily Bremers, préférera se séparer du prince. Les réticences de la reine à son égard et les intrusions répétées de la presse dans sa vie privée ont eu raison de leur histoire d'amour.

En avril 1999, Willem-Alexander rencontre Máxima lors d'un festival à Séville. Elle est en vacances avec des amis et repart rapidement pour les États-Unis où elle travaille. Pour le prince d'Orange, le coup de foudre est immédiat. Il la rejoint trois semaines plus tard à New York et l'invite sur le yacht familial au mois d'août. Máxima s'installe à Bruxelles au printemps 2000 et ses séjours aux Pays-Bas sont de plus en plus nombreux. La presse ne tarde pas à s'intéresser à la jeune fille et découvre vite le passé contestable de son père. Lorsque le prince héritier est photographié en compagnie de ce dernier lors d'un voyage en Patagonie, en janvier 2001, certains aimeraient voir Willem-Alexander renoncer à ses droits.

Le prince impose son choix

À bout de patience, irrité par les attaques et la suspicion qui entourent sa liaison avec Máxima, le prince héritier perd un jour son sang-froid et s'adresse aux journalistes en prenant maladroitement la défense de

Jorge Zorreguieta. Très vite, le Premier ministre Wim Kok comprend que de telles déclarations fragilisent la monarchie ; il intervient publiquement et rappelle à l'ordre le prince héritier : « Le prince n'a apparemment pas résisté à la tentation de commenter personnellement les publications récentes sur le passé de M. Zorreguieta, ce qui n'est pas raisonnable. [...] Désormais, le silence doit régner sur cette affaire. »

Difficile cependant de taire le passé du père de Máxima. Celui-ci a participé dès le début au coup d'État qui a permis à Jorge Rafael Videla de présider l'Argentine et de mener une dictature sanglante de 1976 à 1983, bafouant les droits de l'homme et faisant des milliers de victimes. Il semble que Jorge Zorreguieta n'ait pu ignorer les crimes du régime qu'il a contribué à installer. Une commission d'enquête indépendante est alors mise en place pour étudier les modalités de répression pendant la dictature Videla. Une fois les conclusions livrées, le Premier ministre adressera finalement une lettre au Parlement, approuvant le projet de mariage du prince héritier.

L'amour triomphe

Le 30 mars 2001, Willem-Alexander et Máxima voient enfin leur amour triompher. Installée au château de Noordeinde, devant les caméras de la télévision

263

nationale, la reine Beatrix, émue par les souvenirs que réveille cette déclaration, s'adresse à son peuple : « Je suis très fière et très heureuse de vous annoncer les fiançailles de mon fils Willem-Alexander avec Máxima Zorreguieta. C'est une jeune femme intelligente, moderne et fidèle. Elle a fait un choix très difficile, celui de s'adapter à la mission qui est celle de notre fils. Ensemble, Máxima et Willem-Alexander ont compris que ce destin qui est le leur comportait de grands sacrifices auxquels devra resister leur amour. Ils sont conscients que de nombreux Néerlandais ont des doutes, compréhensibles, à propos de leur union. Ces sentiments, ils les ont pris en considération dans leur décision. Maintenant que les fiançailles sont annoncées, je vous demande à tous d'accorder à Máxima du temps pour qu'elle fasse connaissance avec notre pays et s'imprègne de notre culture. Mon époux et moi sommes tout à fait confiants dans le fait que Máxima et Willem-Alexander se soutiendront et se compléteront dans les tâches qui les attendent. Nous nous réjouissons de leur bonheur. » Au cours de la conférence de presse qui suit, la belle Máxima sait trouver les mots pour apaiser les Néerlandais encore réticents : « Il s'est passé des choses épouvantables en Argentine, mais j'étais jeune à l'époque. J'ai un grand respect pour la démocratie et les droits de l'homme. Je suis désolée que mon père ait mis ses forces au service de ce régime. » En précisant que ses parents ne seront pas présents au mariage, Máxima exprime, certes la souffrance d'une fille, mais aussi la noblesse de son tempérament.

Le bain de foule que prennent Willem-Alexander et Máxima à la sortie de la conférence de presse est une preuve de plus que la monarchie néerlandaise est toujours sortie renforcée des polémiques qui ont jalonné l'histoire de ses règnes.

Le mariage peut donc enfin être célébré en la Nieuwe Kerk d'Amsterdam, le 2 février 2002, en présence des représentants de toutes les cours d'Europe. La mariée ne peut retenir ses larmes, lorsque le prince lui prend la main et qu'il prononce « *I love you* ». Bonheur comblé par la naissance de trois princesses, Catharina-Amalia, née le 7 décembre 2003, Alexia, née le 26 juin 2005, et Ariane, née le 10 avril 2007. L'avenir de la dynastie se conjuguera donc au féminin, comme dans le passé après le règne de trois souveraines remarquables.

2004

Letizia Ortiz Rocasolano
et
Felipe, prince héritier d'Espagne

« S'il me manque l'amour, je ne suis rien »

« S'il me manque l'amour, je ne suis rien. » Lorsque la grand-mère de la mariée prononce cette phrase de l'épître de saint Paul durant la cérémonie qui célèbre le mariage du prince des Asturies et de la journaliste Letizia Ortiz Rocasolano, le 22 mai 2004, en la cathédrale de la Almudena à Madrid, le roi Juan Carlos et la reine Sophie relèvent la tête dignement. « S'il me manque l'amour, je ne suis rien. J'aurais beau distribuer toute ma fortune aux affamés, j'aurais beau me faire brûler vif, s'il me manque l'amour, cela ne me sert à rien. »

Avant de pouvoir épouser la femme qu'il aime, le prince Felipe d'Espagne a déjà rompu deux fois. Deux femmes et deux idylles, sacrifiées, évanouies sous le soleil torride d'une Espagne catholique et exigeante. Isabel Sartorius et Eva Sannum, par médias interposés, ne semblaient pas convenir au peuple. Le prince avait donc dû renoncer aux élans de son cœur pour laisser place à la raison d'État. L'annonce de ses fiançailles le 1er novembre

2003 fait l'effet d'une bombe : « Leurs Majestés ont la grande satisfaction d'annoncer le mariage de leur fils, Son Altesse Royale le prince des Asturies Don Felipe, avec Mlle Letizia Ortiz Rocasolano. » C'est en regardant la chaîne publique espagnole *TVE* et son Journal du soir que les Espagnols s'étaient familiarisés sans le savoir avec leur future reine... Tout, dans le calendrier et dans les moindres détails de l'annonce, avait été parfaitement orchestré par un prince amoureux et résolu, décidé cette fois-ci à imposer la femme qu'il aime au roi et au peuple tout entier.

L'histoire commence un soir d'octobre 2002. Felipe d'Espagne, trente-cinq ans, est invité à dîner chez un ami journaliste, Pedro Erquicia. Letizia est là. Elle a trente et un ans depuis le 15 septembre et travaille comme reporter pour le journal télévisé de la chaîne *TVE*. Elle est évidemment déjà telle qu'on la verra à l'écran : ravissante et talentueuse. Le coup de foudre est immédiat. Divorcée d'un journaliste avec lequel elle ne s'est mariée que civilement, après avoir été fiancée pendant dix ans, Letizia est une jeune femme pleine de promesses. Née dans les Asturies, province dont le prince héritier porte le titre, elle est issue de la classe moyenne, des origines sociales qui la rendent encore plus proche du peuple et d'un prince élevé dans un esprit d'ouverture et de modernité.

Lorsqu'ils se revoient deux mois plus tard, c'est par hasard. Elle arpente une plage souillée par le pétrole du *Prestige*, interroge, témoigne. Elle porte une combinaison hermétique blanche. Ils se croisent donc et se parlent à nouveau. L'écologie est un sujet qui les passionne tous les deux. Letizia sera d'ailleurs récompensée par le prix TP de Oro en 2002 pour ses reportages sur la marée noire. Le prince tombe littéralement sous le charme.

De week-ends amoureux en escapades masquées, Felipe, échaudé, fait appel au service de sécurité du palais royal. Personne, pas même les plus proches amis du prince, n'est au courant. Letizia a deux portables dont l'un est exclusivement réservé aux appels de Felipe d'Espagne. Même la grand-mère adorée de la jeune femme est tenue à l'écart du secret. Après des vacances en Amérique du Sud, Felipe décide de présenter Letizia à ses parents. Récemment nommée présentatrice du Journal du soir, la presse ne se doute cependant de rien, et la nouvelle ne semble pas réjouir les principaux intéressés. En effet, le roi et la reine ne voient pas d'un bon œil l'idylle de l'héritier du trône avec cette jeune femme agnostique et divorcée...

« L'opération Letizia »

Le soir du dimanche 5 octobre 2003, la porte du bureau du roi claque dans un fracas inouï... Le silence qui suit est glacial. Juan Carlos se retourne vers la reine Sophie. « Ce sera Letizia ou je renonce au trône », est-ce bien ce que le prince héritier venait de leur signifier ? Felipe part le lendemain en voyage officiel aux États-Unis et laisse huit jours au roi et à la reine d'Espagne pour réfléchir et donner leur réponse.

Ils ne connaissent cette jeune femme que depuis trois semaines et ne comprennent pas l'impatience de leur fils. La souveraine se souvient du conseil de Don Juan, son beau-père, selon lequel « une reine ne doit pas avoir de passé, car le passé est toujours présent. » Or, en plus d'être roturière, Letizia à bel et bien un passé... de divorcée !

Le 13 octobre, le prince est de retour. Le roi a pris sa décision et la reine s'est rangée à ses côtés. « L'opération Letizia », soigneusement orchestrée par le prince et destinée à protéger leur amour et surtout à ne laisser personne s'immiscer entre eux, a parfaitement fonctionné. L'effet de surprise a été la meilleure attaque. Les fiançailles peuvent donc être annoncées. C'est la victoire de Letizia la cathodique sur une Espagne pourtant très catholique.

Mariage pluvieux, mariage heureux

L'amour triomphant fait son entrée dans la cathédrale madrilène, chef-d'œuvre du gothique, le samedi 22 mai 2004. Au bout de l'allée centrale, le prince, superbe, en grand uniforme, attend la femme de sa vie. Le temps passe, lent, long, étiré comme un jour sans fin. Ils sont venus. Ils sont tous là, mais il ne la voit pas. Que fait-elle ?

Dehors, le ciel s'en mêle. L'orage gronde. De l'eau, de la grêle. Mille sept cents invités, les membres de quarante maisons royales, quinze chefs d'État et un milliard de personnes dans le monde assistent à la cérémonie.

Enfin, elle apparaît sur les premières notes de l'*Allegro* de Haendel. Elle porte une robe créée par Manuel Pertegaz et avance au bras de son père, le journaliste Jesus Ortiz. Elle porte le diadème de la reine Frederika de Grèce, est entourée de petits pages ravissants, habillés comme dans les portraits de Goya. Sa traîne, longue de 4 m 50 est surveillée soigneusement par deux jeunes filles d'honneur.

Son visage, grave, ne s'éclaire que lorsqu'elle croise les yeux de son fiancé. Elle est belle comme une reine et l'assistance, recueillie, respecte la grâce profonde et ancrée de ces noces sacrées.

À la fin de la cérémonie religieuse, le ciel semble enfin s'être calmé. La famille royale apparaît au balcon du palais royal. La foule, enthousiaste, demande un baiser. Le prince se penche et pose sur la joue de Letizia, un baiser délicat, royal et protecteur.

Les mille quatre cents invités de la noce royale sont conviés à déguster un somptueux repas élaboré par le Jockey, un célèbre restaurant de Madrid. Un toast est porté. Le prince embrasse sa mère, embrasse le roi, lève son verre et regarde sa femme :

« Je suis un homme heureux. J'ai épousé la femme que j'aime. Conjuguer la raison avec la force de l'amour a toujours été un but dans ma vie. Letizia, cela fait un peu plus d'un an que nous avons fait ensemble les premiers pas qui nous mènent aujourd'hui jusqu'ici. Ce n'est pas un temps très long ni trop court. Mais c'est suffisant pour nous être découverts honnêtement l'un à l'autre. Comme tu me le répètes souvent, il faudra que nous trouvions toujours le temps de nous confier l'un à l'autre, de réfléchir ensemble, de partager les choses qui nous feront grandir ensemble. »

Même si les premiers pas de la future reine d'Espagne sont dès lors observés dans les moindres détails, souvent critiqués et commentés, la princesse est parvenue avec beaucoup d'aisance à s'adapter à son nouveau rôle.

L'aboutissement de ce bonheur est célébré le 31 octobre 2005 avec la naissance d'une fille, la princesse Leonor, qui se place en deuxième position de succession au trône d'Espagne, juste après son père. Car en Espagne, les filles peuvent régner, comme se fut le cas avec la reine Isabelle… Et le 29 avril 2007, Leonor accueille sa petite sœur, Sofia.

La naissance de l'infante Leonor pose encore aujourd'hui la question d'une éventuelle modification des règles de succession au trône qui privilégierait le premier né quel que soit le sexe de l'enfant, comme cela s'est fait en Suède, puis en Belgique. Les souverains du XXIe siècle seront donc des reines : aux Pays-Bas, en Belgique, en Suède et en Espagne.

2005

Camilla Parker-Bowles
et
Charles, prince de Galles

L'amour malgré tout

C'est fini. Charles raccroche son téléphone. Il est 4 heures du matin. Un appel de Paris vient de confirmer la tragique nouvelle. Diana est morte. Dehors, la brume humide des matins écossais étouffe les pas du prince. Sur les bords de la rivière Dee, Charles est venu pleurer. Une angoisse lourde pèse sur sa poitrine. Il a du mal à respirer. William et Harry ont perdu leur maman et il n'est pas étranger à sa mort dramatique. Charles se sent coupable : s'il ne l'avait pas choisie, Diana aurait sans doute été heureuse. Il l'a épousée par devoir, pour son pays, mais il ne l'aimait pas. Il ne l'a jamais aimée. Il n'y avait pas de place pour elle dans le cœur du prince de Galles. Depuis de longues années déjà, il est habité par le sourire d'une femme, il se nourrit de son amour et n'a jamais réussi à y renoncer. Elle s'appelle Camilla. Dans sa petite maison à quelques kilomètres de Highgrove, Mrs Parker-Bowles partage la culpabilité de son amant. Lorsque Charles lui a exposé ses projets de mariage avec Diana, elle les a encouragés. Elle aussi se sent responsable de ce terrible naufrage et comprend vite que le peuple britannique, qui déjà ne l'aime guère, ne lui pardonnera pas la mort de sa princesse. L'acharnement médiatique n'est pas près de se calmer. Tenace, fidèle et silencieuse, Camilla reste chez elle et attend. C'est, en somme, ce qu'elle fait depuis une trentaine d'années.

Maîtresse en titre

« Vous savez que mon arrière-grand-mère était la maîtresse de votre arrière-arrière-grand-père », lance Camilla au prince de Galles. Ils ne se connaissent pas et déjà Charles tombe sous le charme du personnage. Cette rencontre est comme un instant de grâce dans l'existence du prince. Il vient de livrer un match de polo ; il se sent bien et la conversation de cette jeune inconnue l'amuse. Il connaît bien l'histoire du roi Édouard VII et de sa belle maîtresse Alice Keppel. Camilla a grandi dans le souvenir romanesque de son ancêtre. Sa mère, Rosalind Shand, lui contait le soir les détails de ces amours royales. Les voilà donc l'un en face de l'autre. Héritiers naturels d'une idylle historique, Charles et Camilla caressent la robe humide d'un cheval à bout de souffle et partagent, sous la pluie de ce mois de juin 1970, les premiers instants d'une passion explosive. Elle a vingt-

trois ans, il n'en a pas encore vingt-deux. Elle est exubé-
rante, drôle et pleine d'assurance. Il est timide, réservé
et solitaire. Elle n'est pas très belle, mais sa force de
caractère et son tempérament attirent de nombreux
hommes. Charles a une vie affective pauvre et balbu-
tiante. Parti le plus envié d'Angleterre, il est mal à l'aise
en compagnie des femmes. Il se sent laid, méconnu et
incompris. Comme un souffle de vie, le sourire de
Camilla brise l'invisible barrière qui sépare le prince de
Galles de son destin d'homme. Pour la première fois de
sa jeune et pesante existence, l'héritier du trône britannique s'efface derrière le véritable Charles. Avec
Camilla, la vie est plus légère, plus souriante, plus colorée. Ils aiment les chevaux, les balades et les longues
escapades sous la pluie. Ils aiment les landes familières,
sauvages et infinies. Avec elle, Charles sent son cœur
battre plus fort ; les caresses de Camilla ont une intensité insoupçonnée. Charles se sent aimé. Dans les bras
de cette femme naturelle et expérimentée, le prince de
Galles se réconcilie avec lui-même. Il se sent bien dans
sa peau. Il est chez lui. Il a trouvé une amie.

Enfin épanoui !

Charles part en voyage mais ne cesse de penser à
l'absente. Quand il rentre à Londres pour fêter son
vingt-deuxième anniversaire, tout le monde constate la

transformation du prince. Il danse avec Camilla, les mains posées sur ses fesses... Ensemble, ils partent en week-end à Broadlands. La propriété du grand-oncle de Charles accueille leurs étreintes passionnées et leurs vrais moments de bonheur et d'intimité. Lord Mountbatten apprécie assez la compagnie de cette jeune fille gaie et enjouée. L'oncle Dickie est surtout très heureux de voir son neveu préféré enfin épanoui. Charles aime cet homme à la fois tendre et exigeant qui lui sert de guide et de confident. Le prince de Galles ne s'entend pas avec son père, individu sévère et effacé qui n'a jamais supporté sa position au sein de la famille royale. Pour le prince Philip, Charles est trop tendre, trop émotif, trop délicat. Il préfère de loin la compagnie de sa fille, Anne, dont il admire le tempérament franc et bouillonnant. Les week-ends dans le Hampshire sont rythmés par les parties de chasse et les dîners entre amis. Charles sourit, mais Camilla sait déjà que rien n'est jamais acquis.

En septembre 1971, le prince de Galles doit partir au collège naval de Dartmouth. Camilla reçoit de nombreuses lettres tendres et passionnées. Elle y répond par des mots doux et rassurants qui apaisent l'héritier. Mais Camilla doit faire face au retour de l'homme qu'elle aimait avant sa liaison avec Charles. Andrew Parker-Bowles est rentré d'Allemagne et veut reconquérir la femme qu'il a trahie par de trop nombreuses infidélités.

Elle retombe sous le charme de cet homme séduisant. Désespéré, Charles demande à Camilla de l'épouser. Attendrie mais lucide, elle lui explique qu'elle ne veut pas d'un destin de reine. Le prince de Galles sent son cœur se briser. Elle le rejette et il ne peut même pas lui en vouloir. Elle est trop amoureuse de Charles pour l'épouser ; elle ne veut pas de la vie contraignante et exposée que l'héritier du trône doit assumer. Charles comprend trop Camilla pour insister davantage. Il respecte son choix et enfouit ses larmes dans un silence glacial. Les deux amants se quittent. Embarqué sur le Minerva, Charles ouvre *The Times* un matin de mars 1973. « Le major Bruce Shand et Madame, née Rosalind Cubitt, sont heureux d'annoncer les fiançailles de leur fille, Camilla Rosemary, avec le major Andrew Parker-Bowles, du First Blues and Royals. » Charles sort sur le pont. Le soleil des Caraïbes n'adoucit pas sa peine. Bien au contraire. La mer est trop bleue et trop calme. Il la déteste. Il s'y sent seul et abandonné.

Une complicité quotidienne

Le prince de Galles est un homme de devoir qui ne se laisse pas le temps de pleurer sur son sort. Après avoir achevé sa formation en mer, il rentre en Angleterre et se montre à la hauteur de sa destinée. De plus en plus souvent, il assiste sa mère et fait face à ses obligations. L'adolescent incertain est devenu un homme mûr et convoité. Il accumule les succès sportifs et amoureux. Les fiancées se succèdent, tandis que Camilla mène une vie tranquille de jeune mère de famille. Toute tristesse et humiliation digérées, Charles est resté un ami intime de Camilla. Il accepte de devenir le parrain de son fils, Tom. Charles la tient au courant de tout. Elle l'écoute, le conseille et sait encore le faire rire. Ensemble, ils se moquent de ces candidates à la couronne que Charles collectionne, qui vont et viennent sans jamais savoir se faire aimer. Entre réceptions, inaugurations et voyages officiels, Charles prend le temps de skier en Suisse, de chasser à Balmoral ou de pêcher en Islande. Étourdi de vie, le prince se nourrit des trop rares instants que Camilla peut encore lui offrir. Il les goûte comme on goûte au péché, avec l'avidité d'un insatisfait chronique.

La bombe a explosé alors que le *Shadow V* venait de quitter le port. À la barre du bateau, lord Mountbatten emmenait sa famille pour une partie de pêche dans les eaux irlandaises. L'IRA l'a assassiné. Charles ne peut pas y croire. Oncle Dickie est mort ; le monde s'écroule autour de lui. Il assiste aux funérailles et accompagne le cercueil avec la dignité d'un prince. Dans son costume de deuil, il conduit son Aston Martin à une vitesse folle et s'arrête devant la maison de Camilla. Elle l'attend sur le perron et lui ouvre ses bras. Charles éclate en sanglots : « Ne pleure pas, mon amour, je serai toujours là pour toi. » Les amants se retrouvent et ne se quitteront plus. Avec le temps, Charles se fait à l'idée du mariage.

Un mariage sans amour

Lorsqu'il revoit la jeune Diana Spencer qu'il a connue petite fille, il est agréablement surpris. Diana est grande, sportive et naturelle. Le prince de Galles est touché par son charme enfantin et pense qu'elle ferait une bonne mère. Après avoir recueilli l'approbation de sa maîtresse, de sa mère et de sa grand-mère, Charles fait sa demande en mariage. Diana est une enfant blessée qui croit toujours aux contes de fées. Elle a trouvé son prince et ne peut pas imaginer qu'il ne l'aime pas. Charles et Diana se fiancent le 24 février 1981. Après avoir subi un examen gynécologique qui certifie la virginité de la future princesse et sa capacité à donner naissance à des enfants, Diana est installée à Buckingham. Elle voit très peu Charles. Le prince de Galles est occupé, Diana erre des heures entières dans les cuisines du palais. Charles est un peu surpris de voir sa fiancée circuler en rollers dans les couloirs, un Walkman sur la tête, et encore plus affligé de constater que les romans de Barbara Cartland sont ses lectures préférées.

Diana s'ennuie. Un jour, elle découvre dans l'agenda de Charles des photos de Camilla. Le lendemain, elle appuie sur le bouton du téléphone qui recompose automatiquement le dernier numéro appelé et tombe encore sur Camilla. Charles tente de lui expliquer que cette femme n'est qu'une vieille amie. Diana se sait déjà trahie. Sans vraiment le comprendre, elle sent qu'elle est l'objet d'une manipulation cruelle et savamment orchestrée. Comme un animal blessé, Diana hurle, pleure, en proie à des crises de nerfs. Charles est complètement désemparé par l'hystérie de cette femme qui raye le nom de Camilla de la liste des invités à leur mariage. Chacun veut encore croire que tout va se calmer. Sur le balcon de Buckingham, en ce 29 juillet 1981, Charles pose un timide baiser sur les lèvres de la princesse de Galles. Le conte de fées va se transformer en un véritable cauchemar.

Dès le voyage de noces sur le *Britannia*, leur union se révèle une catastrophe. Un silence lourd, une incompréhension grandissante s'installent entre les deux époux. Charles se rend compte que sa femme est malade. La lune de miel est un fiasco. Aucun moment d'intimité vraiment intense ne viendra rapprocher ces deux êtres qui semblent faits pour se détester. Et pourtant Charles est fidèle. Il veut donner toutes ses chances à ce mariage. La naissance des deux garçons n'arrangera rien. Diana, qui a vite compris comment tirer parti de son immense notoriété, pose esseulée et triste devant les photographes. Charles mesure parfaitement l'ampleur du désastre dont il est responsable mais reste impuissant. Inévitablement et « après avoir constaté la faillite irrémédiable de [son] mariage », le prince de Galles se réfugie à nouveau dans les bras de Camilla.

Un divorce annoncé

Le scandale éclate. Les confessions de Diana, celles de Charles, l'enregistrement de sa conversation téléphonique avec Camilla précipitent la séparation du couple. Camilla est fustigée par la presse, détestée par tout un peuple. On rit de sa laideur, on l'accuse de tout. Camilla garde le silence et supporte sans broncher le lynchage dont elle fait l'objet. Andrew Parker-Bowles, longtemps complice mais un peu las, s'est depuis consolé avec d'autres femmes de la royale infidélité de son épouse. Il quitte Camilla, qui s'installe, seule, dans une nouvelle maison à deux pas de Highgrove, le refuge de Charles.

C'est à Ray Mill Farm que Camilla apprend le décès de Lady Di. Charles vient de lui téléphoner. Pour la première fois, elle ne le consolera pas. Charles marche seul, les yeux rougis par le chagrin. Un doux soleil d'été caresse le visage endormi du petit Harry. Charles ouvre la porte de la chambre et la referme sur des torrents de larmes.

Depuis huit ans, Charles s'attache à combler l'absence de Diana. Le prince de Galles est un père aimé et respecté. La présence discrète et affectueuse de Camilla au côté de l'héritier est devenue officielle et presque naturelle. Comme Alice Keppel avant elle, Camilla, intelligemment, a su se faire accepter. Et personne aujourd'hui ne souhaite empêcher Charles de l'aimer.

En effet, après trente ans d'amour et un divorce chacun, Charles et Camilla sont enfin libres de se marier le 9 avril 2005. Après une brève cérémonie civile, d'une vingtaine de minutes, Charles et Camilla se sont dits « oui » à la mairie de Windsor entourés d'un petit comité de vingt-huit personnes seulement. Une bénédiction nuptiale est ensuite célébrée à la chapelle Saint-George du château de Windsor, en présence cette fois de huit cents personnes, dont la reine, qui n'avait pas souhaité assister au mariage civil de son fils. Celle qui désormais partage la vie du prince de Galles ne portera pas son titre en hommage à Diana, qui restera dans le cœur de millions de gens comme « l'unique princesse de Galles » de son temps, mais le titre de duchesse de Cornouailles.

Cette union reste une première dans les annales de la cour d'Angleterre. Un prince de Galles et futur souverain a épousé en seconde noce une roturière divorcée.

Le pauvre duc de Windsor, le grand-oncle du prince Charles aurait été bien heureux d'une telle alliance, lui qui a dû renoncer au trône pour épouser celle qu'il aimait : Wallis Simpson. Autre temps, autres mœurs...

2011

Catherine Middleton
et
William, prince de Grande-Bretagne

Un nouvel avenir pour la cour d'Angleterre

Même si les membres du personnel du très chic restaurant Koffman's sont habitués à servir toutes les personnalités les plus en vue de Londres, ce jour-là, ils ne peuvent s'empêcher d'afficher un air surpris lorsqu'ils regardent en direction de l'une des tables de la salle.

Au milieu d'éclats de rires joyeux et de conversations animées, deux silhouettes féminines se détachent des autres. De dos, Catherine Middleton, une grande et jeune femme aux longs cheveux châtains et ondulés. De face, la duchesse de Cornouailles, l'épouse du prince de Galles, semble lui donner quelques conseils. À leurs côtés, Laura Lopes, la fille de Camilla, et Pippa – un diminutif pour Philippa – la sœur de Catherine.

Ce qui est en train de se dire à cette table pourrait rendre fous les journaux du monde entier qui, depuis le 16 novembre 2010, jour de l'annonce des fiançailles du prince William avec Miss Middleton, spéculent sur la cérémonie de mariage qui doit avoir lieu dans tout juste cinq mois, le 29 avril 2011.

Cinq mois pour organiser le mariage du siècle, les officiers de la maison royale britannique, les gardiens de l'étiquette et de la tradition n'en reviennent pas. D'autant qu'il semble falloir se plier à de nouvelles règles venant directement du secrétariat de l'héritier en second de la couronne : « Le prince et Miss Middleton veulent s'assurer qu'un équilibre sera trouvé entre une journée agréable et le contexte économique actuel. » On connaît depuis longtemps l'humilité, la disponibilité et la générosité de ce prince moderne, qui sait parfaitement assumer son titre, l'histoire de sa royale famille mais aussi le destin qu'il semble prêt à relever. Le prince William ne vit pas enfermé à Buckingham. Très sensible au sort des personnes défavorisées, il parraine un organisme caritatif pour les SDF en Grande-Bretagne. Il n'a pas hésité à passer une nuit à même le sol, dormant sur des cartons dans une ruelle de Londres, par -4°C durant l'hiver 2009. Sa première interview à la presse française après l'annonce de ses fiançailles fut donnée au journal *Macadam*, dirigé par des journalistes bénévoles français et vendu par des sans domicile fixe pour les aider à se réinsérer.

Mais, même si Miss Middleton ne manque pas de cœur, il est probable que la discussion qu'elle entretient avec sa belle-mère au restaurant de l'hôtel Berkeley ce jour-là ne porte pas vraiment sur cela. Catherine porte à la main gauche un magnifique saphir de Ceylan pesant dix-huit carats, entouré de quatorze diamants. Cette bague, Camilla la connaît bien. C'est la bague de fiançailles que Charles avait passée au doigt de la toute jeune Diana Spencer, future princesse de Galles et mère de William.

L'histoire est ironique et, même si Kate et Pippa sont trop jeunes, trop belles, trop heureuses pour penser à tout cela, le monde entier, deux milliards de téléspectateurs sur la planète, auront une pensée le 29 avril prochain pour Lady Diana, la princesse, l'icône d'une génération entière, la mère du jeune homme brisé qui suivait le cercueil de sa maman, morte à l'âge de trente-six ans.

William Arthur Philip Louis est né le 21 juin 1982 à Londres. Fils aîné du prince Charles, héritier du trône, et de la princesse Diana, il suit la scolarité comme n'importe quel enfant. La princesse de Galles tenait beaucoup à ce que ses fils grandissent avec les yeux ouverts sur le monde.

Un amour de jeunesse

Après le célèbre collège d'Eton, William prend une année sabbatique, puis intègre en 2001 la non moins célèbre université de Saint Andrews afin d'étudier l'histoire de l'art. Un an plus tard, il quitte les dortoirs de l'université pour prendre un appartement en colocation en ville. L'une des colocataires s'appelle Catherine Elisabeth Middleton. Elle suit les mêmes cours que lui.

Née le 9 janvier 1982, à Reading, dans le Berkshire, elle est l'aînée. Ses parents, après avoir été hôtesse de l'air pour sa mère et pilote de la British Airways pour son père, ont fait fortune en fondant, en 1987, Party-Pieces, une entreprise d'articles et d'accessoires de fêtes enfantines vendus par correspondance, puis sur Internet.

Leur romance commence discrètement lors d'une soirée au Bay Hotel de Saint Andrews, le 27 mars 2002. Ce soir-là, Kate défile vêtue d'une robe transparente lors d'une soirée de charité. Will est subjugué et fasciné par cette apparition. « Dès que j'ai vu Kate, j'ai su qu'elle avait quelque chose de spécial. Nous avons d'abord été amis pendant plus d'un an, et notre relation s'est épanouie à partir de là... Nous avons eu des moments merveilleux. Elle a un sacré sens de l'humour, ce qui m'est précieux », révélera le prince lors de leurs fiançailles. Ils ont vingt ans. Leur relation devient officielle en 2003 et, déjà, les journalistes du monde entier voient en Kate, cette jolie bergère au sourire franc et à la silhouette élancée, une très bonne candidate au poste de future reine d'Angleterre.

Les amoureux sont discrets, mais on les aperçoit s'embrassant sur les pentes enneigées de Klosters, en

Suisse, en avril 2004, sur l'île Rodrigues, en safari au Kenya, pratiquant le ski nautique sur la plage de Moustique, ou encore à Balmoral, l'une des résidences estivales préférées de la famille royale en Écosse. Très protecteur, William prend soin de la *girlfriend* qu'il s'est choisi et semble bien sage à côté de son frère Harry.

En 2005, William et Kate sortent tous deux diplômés de Saint Andrews. Lui en géographie, elle en histoire de l'art. Le service militaire de quarante-quatre semaines qu'il doit effectuer à l'Académie militaire de Sandhurst sépare les deux amoureux. Pendant ce temps, Kate se prépare en coulisse. Elle voit un coach, apprend à vivre avec les paparazzis, prend grand soin de son apparence et attend… La presse finit par la surnommer *Waity Katy* (« Katy la patiente »), car l'annonce des fiançailles tarde un peu, mais Katy, confiante, sourit.

Elle sourit jusqu'au jour où William décide de mettre un terme à leur romance. Nous sommes le 14 avril 2007. Il a vingt-cinq ans et se sent trop jeune pour prendre une décision, pas assez mûr, pas assez sûr de lui. Il sait que Catherine aura de lourdes responsabilités à porter. Il garde le souvenir de sa mère, si seule, si éreintée, poursuivie, harcelée. Cette rupture au cœur d'une histoire presque trop parfaite, donne du relief au prince et façonne l'image d'un homme constant, serein, libre et heureux. William avouera sur le plateau d'*ITV News* : « Nous nous sommes séparés un moment, c'est vrai.

Nous étions tous les deux très jeunes, tous deux en quête de nous-mêmes. Il est toujours très éprouvant de chercher sa voie. Nous avions besoin de grandir. » Et Kate d'ajouter : « Je crois qu'à l'époque je n'étais pas particulièrement heureuse de cette séparation. Pourtant, elle a fait de moi quelqu'un de plus fort. […] Même si je ne m'en suis pas rendu compte sur le moment, cette période de solitude m'a fait du bien. »

Quelques mois plus tard en effet, William revient vers Kate et redonne volontairement à leur relation un ton sérieux. Très rapidement, Catherine est bien acceptée par la famille royale, notamment par la reine Elisabeth II, qui apprécie la jeune fille et le fait savoir. Pour William c'est important, car il aime et respecte profondément sa grand-mère.

À la mi-septembre 2010, le lieutenant William Wales vient d'achever sa formation militaire, il est désormais pilote d'hélicoptère, chargé des secours au sein de l'escadron 22, affecté pour trois ans à la base de la Royal Air Force sur la petite île d'Anglesey, au nord du pays de Galles. Kate et lui aménagent dans un charmant cottage, non loin de la base. C'est aussi de la part du futur couple princier un choix stratégique. En effet, la présence d'un membre de la famille royale basé en Irlande du Nord ne s'est pas vue depuis le début de la guerre civile, il y a quarante ans.

Des fiançailles attendues

Lorsque, depuis Clarence House, le 16 novembre 2010, l'annonce officielle de leurs fiançailles tombe, la reine, qui préside alors une réception au château de Windsor, est la première à rendre public cet événement. Très heureuse, elle commente : « C'est une très grande nouvelle. » Avant d'ajouter : « Cela leur a pris un bon bout de temps... » Le prince Harry, ravi lui aussi, fait à la presse cette déclaration sincère et touchante : « Cela signifie que je vais avoir une sœur, comme je l'ai toujours voulu. »

En réalité, ces fiançailles princières ont eu lieu le 20 octobre dernier. Au lever du soleil, William enlève Catherine en hélicoptère pour la mener sur les tentes du mont Kenya, à trois mille mètres d'altitude, au bord du lac Alice. Dans ce cadre romantique et magique, sans âme qui vive pour troubler la magie de l'instant, Will trouve le courage de faire sa demande. Il offre alors à Catherine la bague qu'il a soigneusement cachée dans son sac à dos depuis le début du séjour. « Comme j'avais tout préparé, ça s'est bien passé. Vraiment bien. J'ai été si heureux quand Kate a dit oui. » Il évoque aussi sa demande au père de Kate : « J'hésitais à consulter d'abord son père. Mais j'avais peur qu'il refuse. Je me suis dit qu'il y aurait moins de risque si je commençais par obtenir l'accord de Kate. » Bien sûr, il était peu probable que son père dise non... « Elle et moi en parlions depuis quelque temps, ce n'était donc pas réellement une surprise. Je l'ai emmenée dans un endroit agréable au Kenya et je lui ai fait ma demande. » Le lieu dont parle le prince William est un luxueux complexe pour amateur de safari, l'hôtel Lewa Downs, tout près du parc national d'Aberdare. C'est là également – encore un symbole – que son père l'avait envoyé avec son frère Harry, quelque temps après la tragique disparition de leur mère, afin qu'ils puissent se reposer et avoir une chance de faire leur deuil tranquillement, loin des paparazzis.

Dès leur retour, le photographe préféré de Diana, Mario Testino, immortalise ce moment historique par une série de photos, représentant les fiancés au palais de Buckingham. Enlacés, heureux, Will et Kate donnent l'image d'un couple moderne, romantique et fusionnel, un espoir pour la monarchie et tout un peuple. Lui affiche le sourire superbe de sa mère, elle porte une robe en soie ivoire. Ils s'aiment et projettent de se dire « oui » à l'abbaye de Westminster au printemps 2011, jour de la Sainte-Catherine, et tout juste trente ans après le mariage de Charles et Diana.

Les préparatifs du mariage princier

Pendant que le personnel du palais s'efforce de maîtriser la montée de la fièvre nuptiale, les journalistes cherchent tous les indices possibles concernant les invités, les fournisseurs, les tenues et, évidemment, la robe de la mariée. Mobilisés par la rédaction du *Women's Wear Daily*, une trentaine de créateurs se sont amusés à imaginer ce que sera la robe de la future reine. Karl Lagerfeld revisite la robe victorienne, ouverte devant et portée avec des bottes ; les stylistes italiens de chez Valentino imaginent plutôt une robe fluide et voluptueuse à la manière des Vénus de Botticelli ; Christian Lacroix la rêve avec un haut rouge, la couleur du mariage jusqu'au début du XXᵉ siècle...

Évidemment, personne n'est officiellement sollicité par la future princesse. Les rumeurs se sont un moment arrêté sur la directrice artistique de chez Alexander McQueen, Sarah Burton... On a vu Carole Middleton et sa fille Pippa sortir du showroom de la designer Alice Temperley, ou s'entretenir longuement avec Bruce Oldfield, le couturier préféré de Diana... « Kate adore le fait que personne ne sache ce qu'elle va porter. Même ses amis proches ne le savent pas », a confié l'un de ses amis à la presse.

Rien n'échappe donc des couloirs du palais de Buckingham et l'on se rappelle l'enfer vécu par la styliste Elisabeth Emanuel, choisie par Lady Diana pour créer sa robe de mariée et poursuivie incessamment par les journalistes...

On sait que le prince n'a pas oublié ni pardonné le harcèlement médiatique qu'a subi sa mère et l'on constate à quel point il tient déjà parfaitement à maîtriser sa communication et ses apparitions publiques. Buckingham, de son côté, veut aussi éviter les erreurs du passé. Cette fois, la future princesse a été entraînée : cours de diction, protocole, style, tenue, rien n'a été épargné pour faire de cette belle et charmante jeune fille la future reine du Royaume-Uni... Mais surtout pour Elisabeth II, il ne faut plus de scandale, et pour se faire, Kate a accepté de signer dans son contrat de mariage une clause de confidentialité. En cas de divorce, il lui est interdit d'étaler ses déboires, comme l'avait fait Diana à la télévision anglaise.

Le 18 février, mille neuf cents cartons d'invitations sont envoyés. On sait déjà que David et Victoria Beckham, Sir Elton John, la baby star, Justin Bieber, l'acteur Rowan Atkinson, alias Mr Bean, Guy Ritchie, l'ex-compagnon de Madonna, la chanteuse soul Joss Stone et le rugbyman Gareth Thomas seront présents, comme les souverains régnants, et soixante-deux représentants des familles royales européennes, notamment la princesse Victoria, le prince et la princesse des Astruies, Mathilde et Philippe de Belgique, le prince Albert de Monaco et sa fiancée Charlène, qui doivent se marier à leur tour en juillet 2011.

Un petit manuel de vingt-deux pages accompagne l'invitation pour éviter tout manquement au protocole. Tout d'abord, la tenue vestimentaire des invités est particulièrement codifiée : le blanc et le crème sont à proscrire absolument afin de ne point faire d'ombre à la mariée ; les membres de l'armée en activité sont tenus de porter leur uniforme ; les hommes devront porter une veste grise ou noire, un chapeau – à l'extérieur uniquement – ainsi qu'un pantalon rayé gris ; enfin, il est recommandé pour les dames et demoiselles de choisir une robe de jour sobre ; le couvre-chef n'est pas obligatoire. Lors de la cérémonie religieuse, il est demandé d'arriver au moins vingt minutes à l'avance. Est précisé également le comportement à avoir si la reine s'adresse aux invités. C'est elle qui, la première, tend la main vers son interlocuteur, qui peut, à partir de ce moment-là, s'adresser à elle en disant : « Votre Majesté. »

La première apparition officielle des deux fiancés a eu lieu cet hiver pour le baptême d'un bateau de sauvetage dans le pays de Galles, puis à l'occasion du 600e anniversaire de l'université de Saint Andrews en mars dernier. Cette journée fut vécue comme une sorte de pèlerinage romantique, et les jeunes fiancés y sont apparus très épanouis et détendus. Puis, le couple s'est rendu à Belfast, où Kate a fait sauter des crêpes, selon la coutume locale. À la mi-avril, c'est à Darwen, dans le comté du Lancashire, que le couple a inauguré un centre de formation professionnelle. Catherine Middleton, désormais habituée aux cérémonies officielles, est particulièrement à l'aise en public. Elle sourit, s'exprime aisément, naturellement, et la foule semble très sensible à sa présence, à son allure, à son irréprochable élégance, à la fois classique et moderne.

Depuis, une certaine « Katemania » a commencé à se répandre dans ce peuple britannique qui n'attend qu'une chose finalement, c'est de retomber amoureux de l'une de ses princesses. N'en doutons pas, le *royal wedding* s'est transformé en une énorme machine à livres sterling, grâce aux produits dérivés fabriqués à l'infini. Le WC fleurit sur toutes les tasses, les services de table, les dés à coudre, les jeux de cartes, les tee-shirts, les peluches, etc., sans oublier le timbre officiel du Royal Mail et la médaille... Certains, d'ailleurs, ne sont pas toujours du meilleur effet... Qu'importe, il faut savoir que la famille royale rapporte à l'État cinq cents millions de livres par an, et que le mariage de William et de Catherine ira bien au-delà. Pour éviter le gênant WC, l'initiale de la future mariée précède donc désormais la royale initiale de son fiancé ; elle la domine même parfois sur certains objets et souvenirs officiels.

Toujours dans un souci de générosité, le futur couple a proposé à ceux qui souhaitent leur faire un cadeau de mariage, de faire un don à l'une des vingt-six associations britanniques, réparties en cinq grandes causes qu'ils ont choisies. Voici donc l'image d'un couple moderne, soucieux du bien-être des plus démunis. Une façon sans doute de faire partager leur bonheur avec le plus grand nombre.

La journée du mariage

Le vendredi 29 avril 2011 a donc été décrété férié par le Premier ministre britannique. Le mariage du siècle devrait se dérouler selon un protocole bien établi, dans l'abbaye de Westminster, là où s'étaient mariés la reine et le prince Philip, le 20 novembre 1947, et avant eux, le futur George VI avec Elisabeth le 26 avril 1923 ; tandis que Lady Diana et le prince Charles avaient choisi la cathédrale Saint Paul. Une abbaye mythique et gothique, plus intime aussi, pour une cérémonie et une journée que le prince souhaite sobre et recueillie. Il semblerait que la fiancée ne veuille pas arriver en carrosse mais qu'elle préférerait utiliser une voiture, un mode de locomotion plus « adapté » à son statut, même s'il s'agit de la Rolls-Royce bordeaux à larges vitres de la reine...

À 10 h 50, Kate quittera donc son hôtel et longera Buckingham, le Mall, Trafalgar Square, Whitehall, avant d'entrer par la porte principale de Westminster au bras de son père. Catherine Middleton sera attendue devant l'autel par le prince William, en grand uniforme de lieutenant de la Royal Air Force. Au bras de qui arrivera-t-il ? Ils auront seulement été précédés, comme le veut l'étiquette, par la reine et le prince Philip. L'office célébré par l'archevêque de Canterbury débutera à 11 heures pour s'achever une heure quinze plus tard. Dans ses prières, le chef de l'Église d'Angleterre invitera Dieu à aider William et Kate afin de « renforcer leur volonté pour tenir les promesses qu'ils feront », pour qu'ils puissent ainsi rester « fidèles l'un à l'autre tout au long de leur vie. »

Le jeune couple a veillé personnellement aux moindres détails de l'organisation des célébrations de leurs noces. Ils ont pris beaucoup de soins et d'intérêt dans le choix de la musique pour le service. La cérémonie comprendra un certain nombre d'hymnes connus et des pièces spécialement créées pour eux, interprétées par deux cœurs, un orchestre et deux équipes de fanfare, dont celle de l'équipe de la Royal Air France et les Trompettes de la Household Cavalry… Si William va bien passer la bague au doigt de sa princesse, lui, en revanche, ne portera pas d'alliance. « Il n'y aura qu'un seul anneau, selon le souhait du couple », a confirmé le porte-parole de la Maison royale.

Après la cérémonie religieuse, sous les sons du carilleur de l'abbaye de Westminster qui sonnera pendant trois heures, les mariés traverseront la capitale, encadrés par une haie d'honneur constituée de plus de mille militaires : soldats et musiciens de l'armée de l'Air, de Terre et de la Marine s'aligneront sur tout le parcours. La procession royale les mènera de l'abbaye au Palais de Buckingham, où ils apparaîtront au balcon, vers 13 h 30, devant une foule de plus de huit cent mille badauds et touristes, venus spécialement leur rendre hommage, et à qui ils offriront un baiser historique, comme l'avaient fait avant eux Charles et Diana, trente ans auparavant.

Ils seront accueillis au même moment par le survol d'un défilé aérien. Parmi les appareils, on comptera notamment un Lancaster, un Spitfire et un Hurricane, trois fameux avions qui se sont illustrés lors de la bataille d'Angleterre, pendant la Seconde Guerre mondiale.

La reine Elisabeth II recevra ensuite les invités de son petit-fils au *wedding breakfast* servi pour six cents personnes. Au menu, un buffet chaud et un buffet froid, concocté par le chef de Sa Majesté, Mark Flanagan, qui n'a pas révélé les détails des plats, restés secrets jusqu'au dernier moment pour préserver l'effet de surprise. La rumeur indique qu'il aurait prévu quelques-unes de ses spécialités : la sole de Douvres, le turbot de la mer du Nord, l'agneau vert et sa sauce à la menthe, le bœuf écossais... Le *wedding cake* de plusieurs mètres de haut échappera à sa tutelle, car, selon les vœux des mariés, il proviendra de la pâtissière Fiona Cairns, faisant ainsi entorse à la tradition. William et Kate ont également choisi un second gâteau pour la réception. Le premier, traditionnel, aura plusieurs étages, pas de couleurs – le glaçage sera blanc et crème – très délicat et moderne. Le gâteau contiendra des fruits secs, dont des raisins, des noix, des cerises, du zeste d'orange et de citron. Les fruits seront parfumés à l'eau-de-vie. « La décoration sera faite de motifs sculptés en sucre, principalement floraux, notamment les quatre fleurs du royaume : la rose anglaise, le chardon écossais, la jonquille galloise et le trèfle irlandais », a précisé Fiona Cairns. L'autre gâteau, moins formel, sera un assemblage de biscuits au thé sous un nappage de chocolat.

Le soir, le prince de Galles donnera une petite réception privée, suivie d'un bal pour les trois cents personnes les plus proches du couple princier. Harry, le témoin de William, fera un discours, tandis que les demoiselles d'honneur de la princesse Catherine veilleront sur la robe de la mariée. Les mariés devraient s'envoler dès le lendemain pour leur lune de miel, dont la destination est évidemment tenue secrète. Il semblerait cependant qu'ils aient choisi l'Australie, comme l'a laissé entendre le prince William lui-même lors d'une visite en Océanie : « Il faut que je revienne ! Peut-être que nous passerons notre lune de miel à Cairns. » Une très belle ville du Nord-Est de l'Australie, située à proximité de la plus grande barrière de corail...

La reine, quant à elle, a expressément demandé à ce que le couple princier soit dispensé d'engagement officiel pendant deux ans après leur mariage. De quoi laisser le temps à ce conte de fée moderne de dessiner sagement et sûrement la destinée future de la famille royale britannique qui, en ces temps d'instabilité et de manque de repères, est bien décidée à montrer l'exemple grâce à une génération qui saura tirer les leçons d'un passé difficile à oublier.

Son Altesse Royale, la princesse Catherine de Grande-Bretagne est incontestablement un atout majeur pour l'avenir de la couronne britannique : secrète et réservée par nature, la jeune femme a choisi d'assumer son destin hors du commun de la même manière qu'elle a toujours vécu, avec sourire et détermination, loin des regards mais tout en assumant pleinement et publiquement ses royales obligations...

2011

Charlène Wittstock
et
Albert II,
prince souverain de Monaco

L'amour finit toujours par triompher

Assis dans les gradins du stade Louis-II, le prince Albert préside le vingt-deuxième meeting international de natation de Monaco. Nous sommes en 2001. Dans le bassin, le 200 mètres dos crawlé réunit les plus grandes nageuses internationales dont l'athlète Charlène Wittstock, une sculpturale nageuse sud-africaine qui remporte ce jour-là la compétition. Ancien sportif, membre de l'équipe olympique de bobsleigh, le prince Albert est aussi fan de natation. Il sait, à sa juste mesure, apprécier l'exploit de cette jeune et très belle nageuse : 17e au 100 mètres dos crawlé, 14e au 200 mètres et 5e au 4 × 100 mètres en équipe aux Jeux olympiques de Sydney, un an plus tôt. Cinq années passent. Cinq années où le prince fait espérer avec constance et fébrilité tous les journalistes people de la planète. Accompagné régulièrement de mannequins et de top-modèles, il rend fou les paparazzis et les chroniqueurs mondains qui le marient toutes les semaines. Mais le prince Albert n'est pas pressé. Peut-être est-il même héréditaire d'un certain atavisme familial, son grand-père, Louis II s'étant marié à soixante-douze ans passés... Les révélations publiques de ses anciennes relations et de la naissance naturelle de deux enfants auront sans doute incité le prince à beaucoup plus de prudence et de discrétion. Son père, le prince Rainier le disait aussi assez traumatisé par les vicissitudes conjugales de ses deux sœurs. Il y a évidemment enfin et surtout le souvenir d'une mère, sublime et glamour, devenue une véritable icône depuis sa mort tragique le 14 septembre 1982. « Albie », comme l'appelait sa maman, n'avait que vingt-quatre ans. Une femme qui, encore aujourd'hui, reste un modèle à ses yeux : « Ma mère était un symbole ! Elle s'est tant donnée. Ma mère était la générosité même, la bonté même, l'amour même. » De son côté, Albert fut pour Grace « un enfant rêvé ». « Je n'avais même pas à élever la voix », confiera-t-elle.

Le 19 avril 1956, la superbe actrice américaine Grace Patricia Kelly épousait Rainier III de Monaco et déposait à l'issue de la cérémonie religieuse son bouquet nuptial à l'oratoire de la petite église de Sainte-Dévote ; ce parcours, Charlène le fera de nouveau le samedi 2 juillet 2011, dans la plus pure tradition des mariages princiers monégasques.

Une nageuse et son prince

Il aura donc fallu cinq longues années avant que la jeune Charlène Lynette, née le 25 janvier 1978 à Bulawayo, en Rhodésie, actuel Zimbabwe, n'ait l'autorisation d'apparaître pour la première fois au bras du prince. Le prince Rainier III est mort et son fils est devenu souverain depuis le 6 avril 2005. C'est cette occasion que Charlène choisit pour contacter à nouveau l'homme qui, séduit par l'image de la jeune nageuse à Monaco, l'avait un jour invitée à dîner. Elle avait alors demandé au prince de s'adresser à son entraîneur afin qu'il lui donne l'autorisation de sortir un soir en pleine compétition. C'était en 2001. La jeune fille a alors vingt-deux ans et fait ses premiers pas de princesse de conte de fées. Charlène est une femme étonnante et charmante, avec un sens de l'humour qui enchante Albert.

Mais les contes de fées, on le sait, n'existent que dans les livres d'enfants et la réalité, bien souvent, appelle prudence et patience. C'est ce que le prince a retenu des propos tenus par sa mère, la princesse Grace, quelque temps avant sa disparition : « J'aimerais pour Albert la meilleure femme qui soit. Elle n'aura pas l'existence facile. Elle devra avoir les pieds sur terre, savoir s'adapter, être intelligente. » Depuis, il cherche la femme idéale, assez délicate pour savoir se faire une place, se tracer un chemin entre le souvenir de sa mère et l'image de ses sœurs.

Ce n'est donc qu'en 2006 que le prince Albert se montre officiellement avec Mlle Charlène Wittstock à son bras, aux Jeux olympiques de Turin. Dès cette première apparition publique, le jour de la cérémonie d'ouverture le 10 février 2006, le monde entier découvre celle qui fait chavirer le cœur du prince. Il faut dire que les regards tendres qu'ils échangent trahissent la passion naissante du couple et lorsqu'elle s'abandonne avec tendresse sur l'épaule du prince toute la presse sacre « princesse de Monaco » la sirène des bassins.

Avec la presse, le prince Albert reste très sobre sur la présentation qu'il fait de sa future fiancée : « Melle Charlène Wittstock, de nationalité sud-africaine, est née à Bulawayo, au Zimbabwe. Très jeune, elle a commencé un entraînement qui l'a conduite à devenir championne du 100 mètres dos du Commonwealth. Construite sur les valeurs du sport, elle a une personnalité affirmée. Son intérêt pour les causes humanitaires, tout particulièrement pour les problèmes qui touchent à l'enfance, est l'expression de sa grande sensibilité et de son ouverture aux autres. » Il est vrai qu'en dehors de l'amour du sport qui réunit ces deux êtres sensibles et complices, ils semblent diffuser autour d'eux une certaine douceur, une forme d'empathie naturelle, un humanisme généreux et idéaliste qui fait de la future princesse un personnage discret mais déterminé à remplir la mission qu'on lui a confiée. « J'ai conscience des responsabilités que mon statut officiel m'impose aujourd'hui. Je vais continuer à apprendre chaque jour les us et coutumes de la Principauté, les usages du Palais, son protocole, ses règles, afin de me préparer au mieux à accomplir la mission que le prince me confiera à ses côtés », déclare la jeune femme à la presse.

Force est de constater aujourd'hui son parcours sans aucune faute. Elle donne l'impression qu'elle a fait cela toute sa vie : révérences, discours, sourires, attentions. Que ce soit à la distribution des cadeaux de Noël aux cinq cents petites Monégasques ou lors de la visite officielle chez l'empereur du Japon où le protocole est millimétré. Partout où elle passe, Charlène est ovationnée en future Première dame.

Patience de l'amour, impatience de la presse

Avant l'annonce officielle de leur engagement lors du mariage de la princesse Victoria de Suède le 19 juin 2010, la presse n'a cessé de vouloir marier le prince à chaque apparition de la belle lors de leurs rendez-vous publics. Elle apparaît, en robe bleu nuit, sculpturale et somptueuse à son premier Bal de la Rose, le 29 mars 2008, puis disparaît après. On la retrouve lors d'une grande fête donnée pour célébrer ses trente et un ans le 24 janvier 2009, et l'on se dit que cette fois-ci le prince annoncera enfin leurs fiançailles. Le Rocher attend, et commence à se lasser... L'annonce n'arrive pas. « *A blond with a brain* », comme l'appelle les journalistes sud-africains, apparaît toujours élancée, discrète et amoureuse auprès du prince qui, lui, fête ses cinquante et un ans... Lorsqu'enfin l'annonce officielle tombe, le 23 juin 2010 à 12 h 09 précises, c'est une nouvelle page d'histoire qui s'inscrit dans le grand livre de la Principauté. L'amour de Charlène, patient et résolu, a fini par triompher.

La cérémonie est célébrée dans la plus stricte intimité. Albert n'a pas manqué de ménager l'effet de surprise : « Le prince m'a téléphoné afin que je lui accorde ma bénédiction et qu'il puisse lui passer la bague au doigt », se souvient Michael Wittstock, le père de Charlène, encore sous le coup de l'émotion. Et lorsque le lendemain, le monde entier aperçoit à la une des journaux le portrait officiel des fiancés, dans le cadre exotique des jardins du palais, c'est un couple sublime, rayonnant d'amour et de bonheur qu'il découvre. Charlène porte une longue robe de mousseline en soie couleur vert d'eau qui évoque, hasard ou signe du destin, une tenue que portait la princesse Grace dans les années 1950 pour la couverture du magazine *Life*. À son doigt, la belle fiancée arbore une pièce unique, la bague

« Téthys » en or gris, sertie d'un imposant diamant solitaire en taille de poire, pavée de diamants, créée par Repossi. Le célibataire le plus convoité du gotha s'est enfin engagé…

La journée du mariage

Depuis l'annonce officielle du mariage d'Albert et de Charlène, célébré en principauté le 2 juillet 2011, la cellule monégasque en charge de l'organisation de l'événement ne cesse de s'agiter à huis clos. Toutes les invitations officielles ont été envoyées par le chambellan de Son Altesse Sérénissime le prince Albert II de Monaco à la mi-février, la réponse devant être rendue au plus tard le 15 mars. Afin d'accueillir dignement leurs hôtes célèbres et de faire de cette union un moment d'exception, tout est mis en place : festivités, protocole, sécurité, organisation. Il faut dire que l'événement est important. Une telle cérémonie ne s'est pas déroulée à Monaco depuis plus de cinquante ans, lorsque Rainier III épousait la plus célèbre des actrices américaines, Grace Kelly. Sont attendus en Principauté les représentants de toutes les familles régnantes du monde, mais aussi les chefs de maisons princières, royales et impériales ayant régné sur l'Europe, comme l'Italie, la Grèce, la Russie, l'Autriche ou encore la

France... Mais aussi les représentants de nombreux pays étrangers, et les principaux chefs d'État.

On sait que la cour d'honneur du palais princier sera transformée en cathédrale à ciel ouvert avec la Méditerranée en toile de fond, et que neuf cents chaises et fauteuils blancs frappés aux armes des Grimaldi y seront disposés. Sur la place du palais, quatre mille Monégasques pourront assister à la cérémonie (les deux jours de cérémonie ayant été décrétés fériés), comme ce fut le cas pour le mariage de la princesse Grace et du prince Rainier. La veille, après le mariage civil qui se déroulera devant cinquante personnes dans la Salle du Trône vers 17 heures en présence du Président du Conseil d'État, le couple fera une apparition officielle au balcon de la Salle des Glaces. Sur la place du Palais, de grands buffets géants seront dressés pour que tout le peuple monégasque puisse participer à la fête. À cette occasion, le maire remettra au couple princier les cadeaux des Monégasques. Tandis que le soir, un cocktail dînatoire présidé par le Conseiller de Gouvernement pour les Relations extérieures sera prévu à l'hôtel Hermitage pour les invités officiels déjà présents.

À 22 h 30, un grand concert ouvert au public et gratuit sera offert par le couple princier sur le Port Hercule, entièrement transformé en scène d'un soir pour accueillir un spectacle de son et lumière futuriste. Au-delà de cet événement unique, c'est la Principauté tout entière qui vibrera aux sons électroniques du compositeur Jean-Michel Jarre, accompagné pour certains morceaux par l'orchestre philharmonique de Monte-Carlo.

Pour le samedi 2 juillet, c'est un code couleur blanc et rouge, celui de la principauté, frais et contemporain, qui a été choisi avec des roses, des orchidées et des hortensias, le tout immaculé. La mariée apparaîtra à 17 heures précises dans une robe signée Giorgio Armani, au bras de son père Michael, et s'avancera sur le tapis rouge de la porte des Carabiniers jusqu'à l'autel installé dans la cour à l'italienne de la forteresse des Grimaldi. Le prince, dans un habit dont la réalisation a été confiée au même créateur, attendra celle qui, depuis la veille, est devenue civilement Son Altesse Sérénissime la princesse Charlène de Monaco. Le mariage religieux sera célébré vers 17 h 30 par Monseigneur Bernard Barsi, archevêque de Monaco, selon le rite de l'Église catholique apostolique romaine, en présence de tous les invités de marque : rois, reines et chefs d'État, placés de part et d'autre du grand escalier à double volée de la demeure princière, tous seront en habit ou uniforme pour les hommes et en robe et chapeaux pour les femmes. Après un rafraîchissement servi vers 19 heures, suivi d'une longue série de séance de photographies officielles, le dîner de gala aura lieu à l'Opéra : cinquante tables rondes de douze personnes et une table d'honneur avec les époux et leurs soixante invités. Les jeunes mariés arriveront à 21 h 30. Le dîner, concocté par le chef du palais, Christian Garcia, sera composé de quatre plats et d'une pièce montée. Un feu d'artifice sera donné à 23 h 30, avant la fête qui devrait durer toute la nuit et l'ouverture du bal prévue pour minuit sur la terrasse du Casino.

Le mariage du prince Albert défie les chroniques depuis de nombreuses années sans que les journalistes ne soient parvenus à infléchir la ligne de conduite qu'il s'était fixée. Il a souhaité attendre et préparer sa future femme aux nombreuses responsabilités et obligations qui vont lui incomber, et surtout la protéger de la pression des médias, journaux, radios et télévisions. Permettant ainsi de faire briller sur son royaume une nouvelle étoile...

Cet ouvrage a été imprimé en France par

à Saint-Amand-Montrond (Cher)
en mai 2011

Composé par Nord Compo Multimédia
7, rue de Fives, 59650 Villeneuve-d'Ascq

N° d'édition : 9078 – N° d'impression : 111552/1
Dépôt légal : mai 2011